Pinscher Miniatura

Marcia P. Tucker

Dibujos por: Yolyanko el Habanero

HISPANO EUROPEA

Título de la edición original:
Miniature Pinscher

Es propiedad, 2009
© **Aqualia 03, S.L.**

© Fotografías: **Bernd Brinkmann**,
Isabelle Français y **Carol Ann Johnson**

© Dibujos: **Yolyanko el Habanero**

© de la edición en castellano, 2009:
Editorial Hispano Europea, S. A.
Primer de Maig, 21 - Pol. Ind. Gran Via Sud
08908 L'Hospitalet - Barcelona, España.
E-mail: hispanoeuropea@hispanoeuropea.com

© de la traducción: **Zoila Portuondo**

Depósito Legal: B. 27588-2009

ISBN: 978-84-255-1879-9

Consulte nuestra web:
www.hispanoeuropea.com

IMPRESO EN ESPAÑA   PRINTED IN SPAIN

LIMPERGRAF, S. L. - Mogoda, 29-31 (Pol. Ind. Can Salvatella) - 08210 Barberà del Vallès

Índice

Conocer al Pinscher Miniatura

El Pinscher Miniatura tuvo su origen en Alemania hace varios siglos. Allí se usaba para exterminar las ratas de los corrales de las granjas, lo que hacía con enorme eficacia.

Gracias a las excavaciones arqueológicas se ha podido conocer que, en sus comienzos, esta raza pertenecía a uno de los más antiguos grupos de familia caninos, el Torfspitzgrupe. Si descomponemos el vocablo, veremos que *torf* se relaciona con «tepe» (o «tierra»), *spitz*, con «hocico puntiagudo», y *grupe*, con «grupo». Otra raza actual que pertenece también a este grupo es el Pinscher Alemán.

Se han encontrado esqueletos de Torfspitz en cavernas lacustres de Suiza, ligados a implementos de piedra y otras evidencias arqueológicas que datan del año 3 000 a. J.C. Este grupo canino no estaba restringido a la Alemania actual y áreas adyacentes, sino que se lo encontraba en toda

Aunque los colores y las marcas del Pinscher Miniatura se parecen a los del Doberman, esta raza no es un «Doberman enano».

Europa y parte de Asia. Aun cuando los orígenes de la raza puedan ser tan antiguos, las pruebas fácticas más específicas sólo comenzaron a obtenerse en siglos recientes.

Como todas las razas de perros, el Pinscher Miniatura se desarrolló a partir de otras. Aunque sí debe quedar claro que no se trata de una versión en miniatura del Doberman, como tan a menudo se ha conjeturado. De hecho, ambos, Doberman y Pinscher Miniatura, probablemente hayan descendido del Pinscher Alemán, que es la más antigua de las tres. Ahora sabemos que el Pinscher Miniatura parece tener como antecesores al más pequeño de los Pinscher Alemán de Pelo Liso, al Galguito Italiano y al Dachshund de Pelo Corto.

Para disipar el mito acerca del Doberman como antepasado del Pinscher Miniatura, debe saberse que el primero debe su nombre a Louis Doberman, cobrador de impuestos y apresador de perros callejeros, quien no crió el primer ejemplar auténtico de esta raza hasta 1890, cuando el Pinscher Minia-

El Pinscher Miniatura ha sido apreciado en Alemania durante siglos por su capacidad como cazador de ratas. Los orígenes de la raza datan de milenios.

El pequeño Pinscher Miniatura y el mucho más grande Doberman posiblemente provienen de un antepasado común.

tura ya existía. Fue un talentoso criador que se propuso partir de cero para crear un perro de trabajo de talla mediana que lo protegiera. Según afirmó, deseaba que «se pareciera al Reh Pinscher de cinco libras, pero... quince veces más grande y pesado».

En Alemania, la raza es conocida como Zwergpinscher o Pinscher Enano. A los perros de color rojo ciervo también puede llamárseles Reh Pinscher, porque este nombre hace referencia al pequeño ciervo rojo que solía encontrarse en los bosques germanos. En el siglo

Aunque no existe demasiado parecido entre el Schnauzer Miniatura y el Pinscher Miniatura, las dos razas parten de la misma familia canina.

xix, la familia del mayor de los Pinscher Alemán incluía ambas variedades, la grande y la pequeña, además de otras razas como el Affenpinscher y el manto. De cuatro tipos específicos de Pinscher mencionados por cierto autor en 1895, el «Pinscher Enano de Pelo Corto» era claramente el Pinscher Mi-

El Affenpinscher es otro de los parientes de pelo duro del Pinscher Miniatura.

Schnauzer. También había dos tipos de pelaje.

No fue hasta mediados de ese siglo que los criadores decidieron suspender el cruce entre animales con diferentes tipos de niatura que hoy se conoce. Es importante comprender que la palabra «Pinscher» no se relaciona con algo hereditario, sino con un método de trabajo. Es, en realidad, un término descriptivo que denota el hábito canino de saltar sobre la presa y morderla con fiereza. También es interesante hacer notar que la palabra «Pinscher» podría estar conectada con el verbo inglés *to pinch* («pellizcar»).

Aunque el Pinscher Miniatura es considerado, por lo general, como una raza alemana, lo cierto es que ya aparecía representado en grabados de caza franceses del siglo XVIII. A lo largo del tiempo se han propuesto varias teorías sobre su origen, pero lo que está claro es que no fue realmente reconocido hasta fines del siglo XIX. Herr Hartenstein compró algunos Pinschers en Suabia y los llevó a Wurttemberg, donde inició un serio programa de crianza para obtener perros *black and tan* («negros con marcas fuego»).

En 1895 se formó el Club Alemán del Pinscher-Schnauzer, con el propósito de promover las diferentes variedades de Pinscher. Se estableció el estándar, que describía correctamente el temperamento y definía con claridad los colores. Era importante que el Pinscher Miniatura tuviera las orejas erectas.

Las colas debían cortarse y se definía el pelaje como corto, suave y pegado a la piel.

El Pinscher Miniatura se fue popularizando a medida que finalizaba el siglo XIX. Se hizo particularmente conocido en Alemania entre 1905 y 1914. Fue en 1900, en Stuttgart, donde se lo exhibió por primera vez pero, con excepción de algunos países escandinavos, siguió siendo casi desconocido más allá de su tierra natal hasta 1918. En 1905 llegó a Suecia, pero no se estableció sólidamente hasta 1915 cuando se importaron de Alemania algunos perros de muy buena calidad. Hacia 1960 era el perro miniatura más popular de Suecia.

Poco a poco, el Pinscher Miniatura se fue extendiendo a otros países europeos, aunque en Reino Unido se demoraron más en reconocer las numerosas cualidades de la raza. En 1949, Lionel Hamilton-Renwick hizo un amplio viaje por Europa con el objeto de localizar buenos pies de cría. Importó tres hembras rojas que habían sido cruzadas antes de abandonar

Las orejas del Pinscher Miniatura deben mantenerse erectas, ya sea de manera natural, como se muestra en la fotografía, o cortadas; aunque hay países que prohíben el corte.

Conocer al
Pinscher Miniatura

El Pinscher Miniatura es un popular perro de exposición. Su presencia confiada y su característico paso alto, atraen la atención de muchos espectadores.

los Países Bajos para dirigirse al Reino Unido. Como en Inglaterra el corte de orejas estaba prohibido, a la más joven de las tres se le habían dejado completas para poder llevarla a exposiciones. Por desgracia murió antes de parir y las otras dos perras perdieron sus camadas, así que Hamilton-Renwick volvió al continente a buscar un macho adecuado y de alta calidad. En 1956, la raza fue exhibida por primera vez en la famosa exposición de Crufts; desde entonces, su popularidad no ha dejado de crecer.

En 1929, el Pinscher Miniatura fue también reconocido, de manera definitiva, en Estados Unidos, cuando la raza fue aceptada por el American Kennel Club (la organización canina estadounidense). En este país se lo conoce como «el rey de los perros miniatura», lo que denota no sólo la alta estimación en que se le tiene sino, además, su «regia» personalidad. Uno de los motivos de su popularidad se debe a que su talla resulta ideal para las personas que viven en apartamentos, muchas de las cuales ¡no se contentan con tener un solo perro! El Club Estadounidense del Pinscher Miniatura se formó en 1929 y, desde entonces, la raza ha disfrutado muchas oleadas de popularidad. En la actualidad, y de manera muy merecida, este pequeño y vivaz perro ha alcanzado el corazón de la gente en todo el planeta.

Una gran parte del atractivo del Pinscher Miniatura es su actitud de «perro grande», siendo tan pequeño. Su talla le permite adaptarse a cualquier clase de vivienda.

CONOCER AL PINSCHER MINIATURA

Resumen

■ Los más remotos orígenes de la raza se remontan al año 3.000 a. J.C., aunque lo que se suele conocer es que el Pinscher Miniatura fue desarrollado en Alemania a fines del siglo XIX.

■ El Pinscher Miniatura no es un «Doberman pequeño»; de hecho, esta raza existía antes que su pariente de mayor talla.

■ El Pinscher Miniatura era apreciado por su habilidad como perro para cazar ratas.

■ La raza ganó popularidad en su país natal, desde donde gradualmente se diseminó por todo el continente hasta llegar, eventualmente, a Reino Unido y Estados Unidos.

Estándar y descripción de la raza

Un valiente perrito con sentido del humor: esta es la mejor descripción del Pinscher Miniatura, raza llena de energía cuya vivaz personalidad puede iluminar el día más plomizo.

Los dueños deben recordar siempre que sus antepasados fueron criados con el objeto de mantener las granjas avícolas libres de ratas y ratones. Por eso, el intrépido Pinscher Miniatura es capaz de convertirse en una bestiecilla feroz si considera que las circunstancias lo demandan. También puede resultar algo ladrador, por lo que tenemos que enseñarle que no estamos dispuestos a tolerar más ladridos de los necesarios.

El Pinscher Miniatura podrá ser «el rey de los perros miniatura», pero es importante hacerle saber que no es «el rey del hogar». El estándar del American Kennel Club (la organización canina nacional de Estados Unidos) lo describe como una raza que tiene «ánimo intrépido, completa

El Pinscher Miniatura es un perro vivaz que parece estar implorando a su dueño: «¡Vamos a hacer algo divertido!».

sangre fría» y «briosa presencia». El estándar de la Federación Cinológica Internacional (FCI) lo define como «enérgico, brioso, seguro de sí mismo y de temperamento equilibrado», cualidades que lo convierten en un agradable perro familiar y de compañía.

Por su apariencia, todos sabemos que el Pinscher Miniatura es un perro pequeño, pero no resulta tan diminuto como algunas de las otras razas miniatura, porque mide entre 25 y 30 cm a la cruz, según la FCI, y entre 25 y 31, según el AKC. En Estados Unidos, los perros de exposición son descalificados si están por encima o por debajo de esas medidas. El peso del Pinscher Miniatura oscila entre los 4 y los 6 kg, tanto para la FCI como para el AKC.

Según el estándar del AKC, un rasgo característico de la raza es su precisa marcha *hackney* («de jaca»), movimiento de paso alto donde las patas delanteras se mueven rectas hacia delante, frente al cuerpo, doblándose en los carpos. Para ambos estándares, el Pinscher Miniatura es un trotador, de

El Pinscher Miniatura, a quien llaman «el rey de los perros miniatura», se siente como un verdadero rey en sus dominios. Es muy observador, y está alerta y vigila estrechamente su territorio.

En el cuerpo musculoso y compacto del Pinscher Miniatura no sobra nada. En Estados Unidos es habitual cortarle la cola.

movimiento fluido, libre, con buen alcance y fuerte empuje trasero. Tiene pies de gato y uñas negras.

El Pinscher Miniatura porta con orgullo su estrecha y un tanto alargada cabeza, en contraposición con la cabeza más bien

El azul es un color aceptado en Estados Unidos. A pesar de su belleza, va asociado a la predisposición de padecer ciertos problemas de piel y pelaje, por eso la crianza de perros azules tiene que hacerse con extremo cuidado.

corta y redonda de muchas otras razas miniatura. El hocico es algo fuerte, y proporcional al cráneo. Los ojos son negros o casi negros, no demasiado redondos ni llenos o demasiado pequeños y sesgados. La trufa es negra, aunque en los perros de color chocolate y azul puede tener el mismo tono del manto. Las orejas son de inserción alta y, en los países donde se permite el corte, pueden tanto estar completas como amputadas. En Estados Unidos deben mantenerse erectas desde la base hasta la punta, pero en Reino Unido y el resto de Europa pueden estar erguidas o caídas. Los dientes muerden en tijera.

En general, el Pinscher Miniatura tiene un cuerpo compacto y cuadrado, de dorso parejo que puede descender un poco en la parte trasera. Su bien arqueado costillar es más bien profundo y no abarrilado, mientras que el vientre es moderadamente recogido. Lleva en alto la cola -que continúa la línea superior- y se le suele cortar bastante a rente. En Europa se prefieren las colas «naturales». Esta raza tiene el pelo liso, corto, recto, lustroso y bien pegado a la piel; le cubre todo el cuerpo de manera uniforme.

Todo esto nos lleva al color, que puede ser negro, azul, chocolate o rojo sólido, en sus tonalidades diversas. Las marcas de los tres primeros colores se especifican claramente en el estándar. El del AKC dice: «Rojo sólido claro. Rojo ciervo (rojo con pelos negros entremezclados). Negro con marcas fuego claramente definidas en los carrillos, los labios, la mandíbula inferior, la garganta, sobre los ojos, en el pecho (simétricas), en la parte baja de las patas delanteras, en la porción interior de las patas traseras, en la región anal y en la parte inferior de los corvejones y los pies. Franjas finas y negras en los dedos. Para los perros de color chocolate con marcas rojo óxido, se especifica lo mismo que para los negros, excepto que las delgadas franjas de los dedos son marrones. En el caso de los de color rojo sólido y rojo ciervo, se prefiere una tonalidad rica y saturada, de media a oscura. Descalificaciones: cualquier otro color diferente de los señalados. Marca de pulgar: parche de pelo negro rodeada de óxido en el

Occipucio: parte superior trasera del cráneo. Cúspide.

Cráneo

Depresión naso-frontal o *stop*: hendidura entre los ojos en el punto de unión entre los huesos nasales y el cráneo.

Hocico: cara o región de la cabeza frente a los ojos.

Labios: parte carnosa de las mandíbulas superior e inferior.

Cruz: es el punto más alto del dorso, en la base del cuello, sobre los hombros.

Hombros: punto superior de las extremidades anteriores; es la región de las dos escápulas.

Antepecho: esternón.

Pecho: cavidad torácica (encerrada por las costillas).

Extremidades anteriores: engranaje frontal desde la escápula hasta los pies.

Brazo: región entre la escápula y el antebrazo.

Codo: punto de encuentro entre el brazo y el antebrazo.

Antebrazo: región entre el brazo y el carpo.

Pecho: parte inferior.

Carpo: muñeca.

Espolón: dedo extra en la parte interna de la pata; quinto dedo.

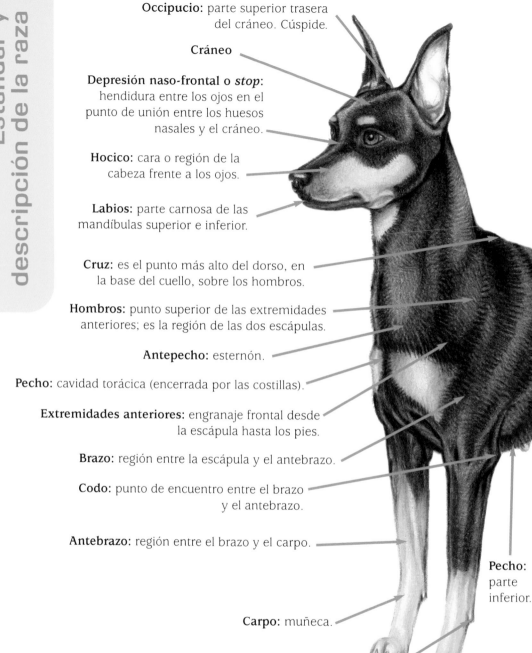

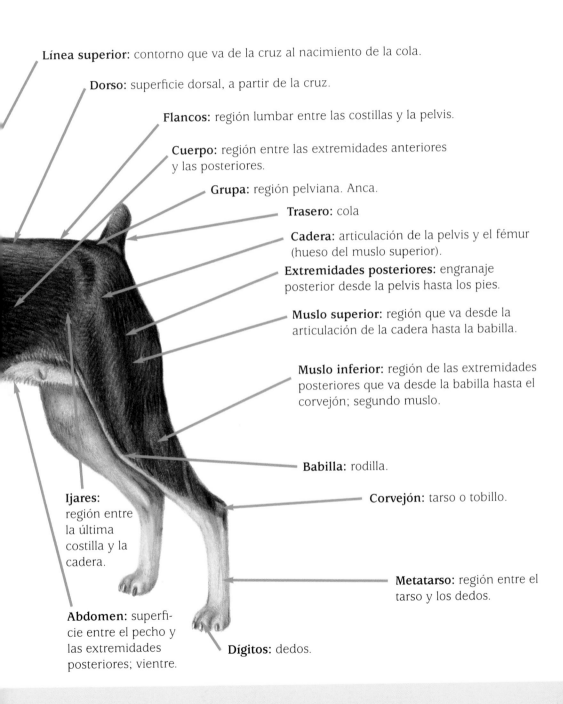

Línea superior: contorno que va de la cruz al nacimiento de la cola.

Dorso: superficie dorsal, a partir de la cruz.

Flancos: región lumbar entre las costillas y la pelvis.

Cuerpo: región entre las extremidades anteriores y las posteriores.

Grupa: región pelviana. Anca.

Trasero: cola

Cadera: articulación de la pelvis y el fémur (hueso del muslo superior).

Extremidades posteriores: engranaje posterior desde la pelvis hasta los pies.

Muslo superior: región que va desde la articulación de la cadera hasta la babilla.

Muslo inferior: región de las extremidades posteriores que va desde la babilla hasta el corvejón; segundo muslo.

Babilla: rodilla.

Corvejón: tarso o tobillo.

Ijares: región entre la última costilla y la cadera.

Metatarso: región entre el tarso y los dedos.

Abdomen: superficie entre el pecho y las extremidades posteriores; vientre.

Dígitos: dedos.

frente de las patas delanteras, entre los pies y en los carpos; en el caso de los perros de color chocolate, el parche también lo es. Blanco en cualquier parte del cuerpo mayor de 1,5 cm en su dimensión más larga».

La FCI, por su parte, en el estándar número 185 del 11.08.2000, correspondiente al Pinscher Miniatura, describe el color así: «Unicolor: rojo ciervo, rojo-marrón hasta el rojo oscuro-marrón. Negro y fuego: pelo negro laca con marcas fuego, de rojas a marrones. Es deseable que las marcas sean lo más oscuras posible, saturadas y bien delimitadas. Las marcas fuego se ubican sobre los ojos, en la cara inferior del cuello, en los metacarpos, en los pies, en las

El color chocolate lleva las mismas marcas de los perros de color negro y fuego.

caras internas de los miembros posteriores y en el perineo. En el antepecho, dos triángulos de igual tamaño claramente separados uno del otro».

Y si se trata de definir en pocas palabras a este extraordinario personaje, el American Kennel Club apunta, muy atinadamente: «Es dinamita en fardo pequeño o hay algo que no anda bien».

El estándar es el patrón a partir del cual se juzgan los perros de una raza canina. Durante la competición, se coloca al diminuto Pinscher Miniatura sobre una mesa para que el juez pueda evaluarlo íntegramente.

ESTÁNDAR Y DESCRIPCIÓN DE LA RAZA

Resumen

■ El estándar, elaborado por el club matriz de la raza y aprobado por el AKC y la FCI, previa ratificación de las organizaciones caninas nacionales, describe el Pinscher Miniatura ideal.

■ El estándar explica en detalle la conformación física, el carácter y el movimiento deseados, así como las faltas y las descalificaciones.

■ Para el AKC, el Pinscher Miniatura se clasifica dentro del Grupo de Perros Miniatura por su pequeña estatura, mientras que la FCI lo sitúa en el Grupo 2, que reúne a los perros tipo Pinscher y Schnauzer-Molosoides, perros tipo Montaña y Boyeros Suizos, y otras razas.

■ Según el AKC, la marcha *hackney* del Pinscher Miniatura es la marca de fábrica de la raza.

■ Las orejas son erectas, lo mismo si se conservan naturales que si han sido cortadas. El corte de las orejas y las colas se practica en Estados Unidos, pero está prohibido en otros países.

■ El pelo es corto y liso, coloreado en negro, azul, chocolate o rojo, con marcas rojo óxido en los lugares correspondientes.

¿Es usted la persona adecuada para tener un Pinscher Miniatura?
En verdad, no cuenta el tamaño o la forma corporal que tenga usted; a su perro no podría importarle si sus orejas son largas o cortas, erectas o caídas.

Lo que cuenta a la hora de saber si usted es la persona adecuada para tener un Pinscher Miniatura es si es lo bastante avispado para habérselas con esta criaturilla inteligente y alerta que muy pronto formará parte importante de su vida.

Si disfruta adiestrando a su perro o enseñándole trucos fuera de lo común, encontrará en este un aprendiz bien dispuesto. Pero necesitará tener sentido del humor para divertirse con el Pinscher Miniatura cuando él decida gastarle una broma. Puede que ocurra a menudo, así que ¡manténgase alerta! Por si fuera poco, si a usted le gusta hacer payasadas, su actuación podría ser opacada por la de su perro, a quien le en-

El Pinscher Miniatura es el compañero adecuado para quien desee un perro casero pequeño, de gran inteligencia y carácter divertido, aunque algo travieso.

canta ser el centro de atención y recibir calurosos aplausos. De cualquier modo, si ocurre que resulta usted un tanto terco, entonces ¡tendrá algo en común con su Pinscher Miniatura!

Claro está que si tiene una gran mansión, su perro se sentirá probablemente muy feliz porque es un individuo inquisitivo que adora investigar cada grieta y rincón. Aunque si vive en un apartamento urbano, puede estar igualmente seguro de que su adaptable amiguito cuadrúpedo se ajustará a él. Por supuesto, tendrá que sacarlo de paseo y, en ese caso, es vital que mantenga a su mascota bajo estrecha vigilancia porque, de lo contrario, es posible que se meta en todo tipo de problemas. El dueño entendido en la raza lo restringe a la correa en los lugares públicos, algo que hasta puede ser ley en su localidad. En realidad, si usted tiene algo de Sherlock Holmes, se mantendrá activo porque es siempre el primero en aprovechar las ventajas de una reja o una puerta abierta por donde escaparse ¡a explorar! Con todo ello en mente, es esencial que no pierda de vista

Por su talla pequeña y porque no ocupan mucho espacio en casa, muchas personas deciden tener más de un Pinscher Miniatura. Incluso se les puede pasear juntos con una correa especial como la de la fotografía.

Los Pinscher Miniatura han demostrado ser buenos perros de terapia trabajando en sanatorios y hospitales. Recibir la visita y el abrazo de este encantador personaje ilumina el día de cualquier persona.

al Pinscher Miniatura y le prepare un entorno a prueba de fugas, lo cual es mucho más seguro que tener que dar caza al pequeño explorador si sale corriendo tras un olor.

Sería preferible que usted fuera una persona ordenada, porque si deja cosas diseminadas por la casa puede estar seguro de que pronto las perderá de vista. Sobre todo, si se trata de objetos pequeños que el animal pueda tragarse, lo que acarreará serias consecuencias, incluida la muerte; así que consérvelo todo (incluido al Pinscher Miniatura) fuera de las zonas de peligro.

Al margen de su pequeña talla el Pinscher Miniatura necesita hacer ejercicio. Los paseos diarios benefician tanto al dueño como al perro, y el tiempo agradable que pasan juntos fortalece el vínculo entre ambos.

Si está interesado en las exposiciones caninas, el Pinscher Miniatura es una buena raza para empezar. Es fácil de mantener y de transportar, y no necesita mucha ayuda para lucirse en el *ring*.

Los dueños del Pinscher Miniatura aprecian su portabilidad, mientras que ellos, los perros, valoran la posibilidad de ir a todas partes con su gente favorita.

Si le apasionan la peluquería y el acicalado se sentirá muy frustrado, porque sólo hay una manera de engalanar al Pinscher Miniatura. Ha escogido una raza que necesita muy poco arreglo, aunque podrá disfrutar dándole un enérgico cepillado cada dos o tres días. Por otra parte, tendrá que dedicar tiempo y atención al animal, porque el Pinscher Miniatura necesita mucha socialización desde cachorro. No le recomendamos, sin embargo, que lo malcríe, porque puede convertirse en un tirano temperamental.

Si tiene niños, tal vez esta raza no sea una buena opción, aunque depende mucho de la manera en que los haya educado. Si les ha enseñado a ser dueños de perros responsables y a tratar a los animales con amabilidad, entontes es probable que el Pinscher Miniatura los adore. Pero, si a sus hijos les gusta jugar rudamente con el perro, entonces deberá buscar otra raza. Eso sí, si usted y sus chicos están dotados de suficiente paciencia y comprensión, nunca olvidan que se trata de un perro muy pequeño y los niños permiten que sea el animal el que se les acerque y no al revés, entonces ya tiene la receta para el éxito familiar.

¿ES LA RAZA ADECUADA PARA USTED?

Resumen

■ La persona adecuada para tener un Pinscher Miniatura tiene la fortuna de haber escogido una raza de tamaño muy conveniente, capaz de adaptarse a la mayor parte de las viviendas.

■ Esta persona tiene tiempo para cuidarlo, lo que incluye ejercitarlo, adiestrarlo y acicalarlo, y estar dispuesto a darle la atención que necesita.

■ La persona apropiada para el Pinscher Miniatura tiene sentido del humor y aprecia la naturaleza juguetona de la raza.

■ Esta persona tiene como prioridad número uno la seguridad y el bienestar de su perro, por lo que nunca olvida su naturaleza inquisitiva.

Selección del criador

Dependiendo del lugar donde resida puede tener un mayor o menor número de selección de criadores.

Pero, por favor, no corra a comprarle el cachorro al que le quede más cerca y tenga una camada disponible, para que después no tenga que lamentarse. Primero indague con toda meticulosidad y, de ser necesario, espere el tiempo que sea preciso para obtener el Pinscher Miniatura del criador de su elección.

Los posibles compradores de cachorros deben tener siempre presente que hay muchos tipos de criadores, algunos de los cuales ponen los intereses de la raza por encima de toda otra consideración, mientras otros son menos consagrados y están más interesados en el dinero. Es esencial que localice uno que no sólo tenga los perros que le gustan, sino uno cuya ética de crianza le complazca. Por desgracia, en todas las razas hay criadores que sólo

He aquí dos Pinscher Miniatura y sus presentadoras, finalizando su actuación en el *ring*. Uno de los mejores lugares para encontrar buenos criadores es en las exposiciones caninas. Los criadores reputados están deseosos de exponer sus perros para mostrar el resultado de sus esfuerzos.

se dedican por dinero y estos son, precisamente, los que hay que evitar.

Una vez aclarado ese punto debemos decir que, de igual modo, hay muchos buenos criadores y, si busca con esmero, terminará encontrando uno de ellos. Lo ideal sería, tal vez, que recibiera orientación de la organización canina nacional de su país o del club especializado de la raza porque, sobre todo los miembros de este último, suelen estar sujetos a un código de ética. Aun así deberá asegurarse de que los estándares de atenciones y cuidados que muestre el criador elegido para con sus perros son los que usted espera. Confirme que es alguien que comprende al detalle la raza que está criando y que toma decisiones bien meditadas a la hora de llevar adelante su programa de crianza, teniendo en cuenta el pedigrí, la salud y la calidad integral de cada perro.

Puede que el criador de su elección sea de los que cría en casa, de manera que los cachorros habrán crecido en un ambiente hogareño y estarán familiarizados con los ruidos y

Vaya a ver el área reservada a los cachorros, porque el criador debe tenerlos en un lugar limpio y acogedor. La mayoría de los criadores permiten visitas unas semanas antes de que los perritos estén listos para mudarse a sus nuevos hogares.

Todos los cachorros se ven dulces, pero no se enamore de cada uno que conozca. Es su cerebro y no su corazón el que debe jugar un papel importante en su decisión

las actividades cotidianas. O puede que tenga un gran criadero y que los cachorros nazcan y crezcan en perreras. No obstante, si ha elegido sabiamente, los perrillos habrán tenido mucho contacto con la gente y estarán acostumbrados a una gran variedad de sonidos. Incluso algunos de los más grandes criaderos crían camadas dentro de la casa; esto es infinitamente mejor para los cachorrillos que criarse en una perrera, sobre todo si se trata de razas pequeñas como el Pinscher Miniatura.

De una forma u otra, lo importante es que los pequeños Pinscher Miniatura estén criados en condiciones adecuadas, en un ambiente seguro y amistoso, a buen resguardo y bien supervisados. Todas las áreas deben estar limpias, los perros deben verse en óptimo estado y mostrar un temperamento adecuado: alegre y muy confiado. Sería bueno recordarle –por si decide llevar a los niños a visitar la camada– que lo correcto es dejar que sean los cachorros (y los adultos) Pinscher Miniatura los que se acerquen a usted y no a la inversa. Cuando vaya a visi-

tar por primera vez al criador, hágase un favor: deje a los niños y el talonario de cheques en casa. Tomará una decisión más sabia si sigue este consejo.

El criador deberá mostrarse muy dispuesto a mostrarle la madre de los cachorros, y será bueno que se fije en su temperamento y en cómo se relaciona con sus pequeños. Si no es posible verla, póngase en guardia porque ello puede ser indicio de que la camada no nació en aquel lugar y ha sido traída para la venta. En tal caso, ¡márchese y no vuelva!

En cuanto al macho, es probable que no esté presente por pertenecer a otra persona. Un criador responsable puede viajar cientos de kilómetros para servirse de un determinado perro. Pero si estamos hablando de alguien verdaderamente consagrado, podrá al menos mostrarle una fotografía, una copia del pedigrí, y hablarle de sus cualidades. En una situación ideal, la fotografía lo mostrará ganando en una exposición canina y no jugando en el patio de una casa.

Un buen criador de perros de exposición conserva los me-

¡Esto es amor!
Algunos criadores
dedican sus vidas
y hogares a su
raza favorita.

jores cachorros para exhibirlos o los ubica con otros criadores que persigan los mismos fines que él. Debe comprender que puede que no le muestren la camada completa, sino sólo uno o dos perritos.

Si ha seleccionado bien al criador, verá cómo le da muchas recomendaciones útiles; entre ellas, la manera correcta de alimentar al animal. Los criadores deben dar a cada uno de los nuevos dueños un poco de comida en el momento de llevarse al cachorro. En cualquier caso, siempre debe darle instrucciones escritas sobre la frecuencia, el tipo y la cantidad de alimento que le ha estado dando al pequeño Pinscher. Claro que usted podrá hacer modificaciones con el paso del tiempo, pero los cambios deben ser graduales.

Un buen criador le informará acerca de las vacunas que le ha puesto al cachorro y le transferirá, en el momento de la compra, toda la documentación relevante (el pedigrí, los certificados de registro, el contrato de venta y las garantías). También debe aclararle todo lo concerniente a la desparasitación. Algunos criadores proporcio-

El criador debe permitirle conocer a la madre de los perritos. Si no es así, a usted corresponde pedirle que se la muestre. El padre, en cambio, no suele estar en el criadero, pero él debería tener fotografías e información que enseñarle.

nan seguros tem- porales en favor de los cachorros. Es una buena idea que deja al nuevo dueño la decisión de mantener o no la póliza.

Si desea que su vida con el Pinscher Miniatura sea próspera, no se precipite en la selección. Tómese el tiempo necesario para investigar sobre la raza, localizar al criador más adecuado y decidir cuál es el cachorro que se complementa perfectamente con usted.

SELECCIÓN DEL CRIADOR

Resumen

■ Para localizar un criador de confianza, escriba, telefonee o envíe *mail* a la organización canina nacional o al club especializado de la raza. También puede visitar la página *web* de ambos, si la tienen.

■ Conozca lo que debería esperar de un buen criador y no se impaciente en la búsqueda. No se enamore del primer cachorro que encuentre ni tome decisiones precipitadas.

■ Asegúrese de que le entreguen toda la documentación importante: el pedigrí, el contrato de venta, los certificados de salud y de registro, y la cartilla de vacunación.

■ Un buen criador siempre va a ser fuente de ayuda e información mientras dure la vida de su perro, por lo que debe dar valor a sus conocimientos y experiencia.

Elegir el
cachorro adecuado

Entonces, ¿está realmente convencido de haber estudiado a fondo la raza? ¿Y de haber investigado lo suficiente hasta localizar un criador con posibilidades de proporcionarle el Pinscher Miniatura que más le gusta?

Está bien, ha llegado el momento de comenzar los preparativos para recibir en casa al largamente esperado perro. Es posible que el criador le haya permitido ver la camada con antelación, tal vez cuando los cachorros tenían cinco o seis semanas de edad, pero debe comprender que aún tendrá que esperar a que esté preparado para separarse de su madre y hermanos.

Un cachorrillo sano impresiona a quien lo ve por su higiene, por tener los ojos, la trufa y el ano limpios, sin secreciones oculares ni nasales, ni rastro de diarreas. Las uñas, aunque han de estar afiladas, no deben ser demasiado largas, lo que indica que el criador se las ha recortado.

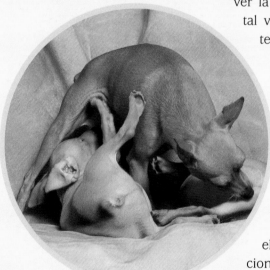

He aquí una madre afectuosa en compañía de su prole. Atender una camada requiere energía y cuidados constantes, tanto por parte de la perra como del criador.

El pelaje debe verse en excelentes condiciones, lustroso y brillante, sin rastros de parásitos. Las pulgas y los piojos no se observan con facilidad a simple vista, pero ocasionan que el perro se rasque y pueden provocarle sarpullido.

Sin embargo, el rascado no siempre es indicio de parasitismo o de problemas en la piel: puede estar asociado a la dentición. En este caso, el cachorro sólo se rasca alrededor de la cabeza y deja de hacerlo cuando le brotan los dientes permanentes y las encías ya no le duelen. Este acto puede relacionarse también con alguna infección en los oídos, así que con una rápida inspección auricular podrá comprobar si hay acumulación de cerumen y olor desagradable (no debería haber olor alguno). Claro que un buen criador se habrá cerciorado de que los cachorrillos están sanos antes de consentir en venderlos.

Como todas las razas sufren de alguna afección hereditaria, sería recomendable contactar con el club especializado del Pinscher Miniatura para saber

Los cachorros Pinscher Miniatura del mismo color se parecen como dos gotas de agua. Si todos están sanos, su selección debería basarse en la personalidad y el temperamento más que en la apariencia.

Los Pinscher Miniatura no son perros grandes, así que puede imaginar cuán diminutos son cuando son cachorros. El criador y las personas que visiten la camada tienen que tratarlos con cuidado.

cuáles son las pruebas médicas que los criadores deben hacer a sus reproductores con el fin de detectar enfermedades como la atrofia progresiva de la retina, la displasia de cadera, la enfermedad de Legg-Perthes-Calves, hernias, sordera... Averigüe con el criador si ha realizado o no estas pruebas, y exíjale la certificación por escrito de los resultados; observe la fecha en que fueron efectuadas; un buen criador le mostrará sin problemas toda la documentación.

La mayoría de los cachorros son extrovertidos y alegres, así que no se compadezca del súper tímido que se esconde en las esquinas. Escoja uno que disfrute a las claras de su compañía cuando vaya de visita, porque eso creará entre él y usted un vínculo duradero. Cuando llegue la hora de elegir el perrito, debería hacerse acompañar de los miembros de su familia cercana, o sea, los que compartirán la casa con él. Es esencial que todos concuerden con la importante decisión que están a punto de tomar, porque un perro cambiará la vida de todos inevitablemente.

La autora confía en que antes de adquirir el perro habrá investigado lo suficiente acerca del Pinscher Miniatura. Aparte de este libro, se ha escrito bastante sobre la raza y también existen muchas páginas *web* útiles y entretenidas, diseñadas por clubes especializados y aficionados particulares. A la vez que aprende cómo cuidar de un Pinscher Miniatura, puede disfrutar indagando acerca de su historia y descubriendo otros hechos divertidos.

Los clubes especializados son importantes fuentes de consulta, auxilio e información. Algunos, incluso, publican sus propios boletines y folletos acerca de la raza –tal vez hasta un libro de campeones–, donde podrá constatar cómo lucían los famosos antepasados de su cachorro. También están los periódicos y las revistas semanales o mensuales, aunque es posible que necesite suscribirse a ellos ya que no siempre están disponibles en los quioscos y las librerías.

Las personas con acceso a Internet que se propongan buscar allí información sobre la ra-

Los Pinscher Miniatura son caseros, no sirven para estar aislados fuera de la casa o en una perrera. Busque un criador que tenga los perros y los cachorros en casa, como parte de su familia.

za deben saber algo: ¡les exhorto a no creer todo lo que lean! En la actualidad, cualquier persona puede tener una página web en Internet y escribir lo que le parezca, incluso sin tener el conocimiento suficiente sobre un asunto dado o también pue-

de hacerlo para su único provecho. Aquellas *web* vinculadas a las organizaciones caninas nacionales o a los clubes especializados del Pinscher Miniatura deben ser fuentes fiables de información proveniente de personas éticas y experimentadas.

¡Estos perros no se parecen a nosotros! Un par de curiosos cachorros Pinscher Miniatura inicia su socialización observando a sus vecinos detrás de la seguridad de la cerca.

Por último, resulta aconsejable convertirse en miembro del club especializado o de la organización canina nacional de todas las razas, porque, al hacerlo, recibirá notificación de los programas específicos del Pinscher Miniatura, en los cuales tal vez le interese participar, lo que ampliará sus oportunidades de aprender y de conocer personas vinculadas a la raza.

ELEGIR EL CACHORRO ADECUADO

Resumen

■ Vaya a conocer personalmente a los cachorros. Busque perritos sanos y de calidad, cuyo buen estado general de salud se evidencie en el brillo de los ojos y el pelo, y en su estructura sólida.

■ Pregunte al criador sobre las enfermedades hereditarias propias de la raza, y por los certificados veterinarios expedidos a favor de los progenitores del cachorro como prueba de que están libres de ellas.

■ Asegúrese de que todos los miembros de la familia estén preparados para la llegada del cachorro y de que participen en la selección.

■ Prepárese bien explorando diferentes fuentes de información sobre el Pinscher Miniatura. Contacte con un club especializado y considere la posibilidad de integrarse a él.

Llegada a casa del cachorro

El día de la llegada del cachorro será muy emocionante. Aunque no se trata de un perro grande, prepárelo todo para garantizarle el mejor de los comienzos.

Será necesario haber decidido dónde va a dormir; ha de ser lejos de las corrientes de aire y sobre una superficie algo levantada del suelo. El patio tiene que ser un lugar seguro, sin posibilidades de que se escape. ¡Recuerde que el Pinscher Miniatura puede ser un artista de la fuga! Con antelación debe haber planificado con el criador lo relacionado con la dieta: no hay mejor fuente de asesoría que un criador experimentado. Ya sabrá también qué artículos necesita comprar. Pregunte al criador qué requiere el cachorro para tener una vida segura, sana y feliz.

En función del lugar donde viva, puede tener fácil acceso a una buena tienda para mascotas, ya sea un gran establecimiento o un comercio especializado. Si

Al llevar el cachorro a casa lo está separando de su madre y hermanos, y de la casa del criador, o sea, de todo lo que le es familiar. Tendrá que tranquilizarlo y permitirle algún tiempo para adaptarse.

puede encontrar alguno cuyos dueños exhiban sus propios perros, verá que suelen tener una amplia variedad de accesorios y probablemente hasta le puedan dar sabios consejos sobre lo que necesita adquirir. En las principales exposiciones caninas también se pueden encontrar muchos pabellones comerciales donde satisfacer toda clase de necesidades: seguramente quedará embelesado por la excelente selección.

Prepárese para que su cachorro se meta dondequiera que le quepan las patitas y los dientes. ¿Se le perdió el estropajo de fregar los platos? Su perrito podría tener la pista.

Es necesario comprar un equipo de acicalado para el cachorro. A medida que crezca puede necesitar utensilios diferentes, aunque esta raza no demanda mucho para el mantenimiento del pelaje. En las primeras etapas será suficiente con un guante de acicalado o un cepillo de cerdas suaves. También se precisa un cortaúñas canino. Algunos artículos puede que ya los tenga en casa, como bolitas de algodón.

Es esencial considerar el lugar donde el cachorro va a dormir, y si va a ser para siempre o sólo en los días iniciales. Le recomendamos que el sitio que elija sea el definitivo. Durante

No le compre al Pinscher Miniatura un lecho de mimbre porque este material es muy tentador para los dientes caninos. Las varitas pueden romperse con facilidad y el cachorro se las puede tragar o lastimarse con ellas.

las primeras noches, es natural que el perrito se muestre intranquilo y aúlle, pero si usted no le da tiempo de adaptarse y en seguida se compadece «de la indefensa criaturita», permitiéndole compartir su dormitorio, él contará con que siempre será así. Por eso, es esencial prepararle un lecho suave y confortable, donde pueda descansar y sentirse abrigadito en él, su rincón especial.

Teniendo en cuenta que los cachorros no aprecian las camas demasiado grandes, podría necesitar adquirir al principio una pequeñita, y otra mayor, meses más tarde, que se ajuste al tamaño del perro adulto; aunque lo cierto es que no habrá gran diferencia entre ambas. Los lechos de mimbre pueden verse preciosos, pero resultan peligrosos porque los cachorros los muerden y corren el riesgo de tragarse las puntas agudas del material o de lastimarse los ojos con ellas. Es aconsejable, pues, optar por uno más duradero que podamos fregar o pasarle un paño, y colocarle encima un cobertor suave que se lave con facilidad. Es vital

mantener siempre limpia y seca la ropa de cama del perro. El lecho ha de estar un poco levantado del suelo o, en su defecto, lejos de las corrientes de aire.

Aunque el Pinscher Miniatura es un perro diminuto, puede cometer toda clase de travesuras. Tal vez los artículos familiares le parezcan a usted inofensivos, pero un fino tapete colgando de una mesilla llena de adornos delicados ¡es un riesgo! Aún más peligrosos son los cables eléctricos, así que cerciórese de colocarlos completamente fuera de su alcance. Los dientecitos del cachorro los atraviesan con facilidad, lo que puede provocar accidentes fatales. También debemos advertirle sobre los productos de limpieza y los fertilizantes. Muchos de ellos contienen sustancias venenosas, así que, por favor, guárdelos donde no puedan tentar la curiosidad canina. A los perros les atrae el sabor de los anticongelantes, pero una o dos gotas son suficientes para matarlos, tengan el tamaño que tengan.

Cuando el cachorro acaba de llegar es lógico que usted se sienta orgulloso y quiera mos-

La jaula de alambre es una buena herramienta dentro y fuera de la casa, porque proporciona al perro un lugar propio, dondequiera que esté, a la vez que le permite mirar todo lo que ocurre alrededor.

trárselo a sus amigos. Pero él está afrontando un cambio drástico en su corta vida y es mejor dejarlo tranquilo en casa los dos o tres primeros días, con la compañía exclusiva de usted y sus parientes cercanos. Una vez que haya comenzado a adaptarse al nuevo hogar y sus alrededores, y tenga puesta la segunda vacuna, entonces podrá enseñárselo a otras personas. Si tiene niños, o si vienen de visita, no los pierda de vista ni un solo instante cuando estén con el cachorro. Con la mejor de las intenciones, pueden lastimar con suma facilidad a un perro tan pequeño.

Si en la casa hay otras mascotas, debe ponerlas en contacto con el Pinscher Miniatura de manera gradual, y siempre bajo estrecha vigilancia. La mayoría

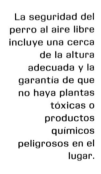

Llegada a casa
del cachorro

de los perros de esta raza se llevan bien con los demás animales, pero hay que observarlos sin cesar hasta estar seguros de que están haciéndose amigos. Claro que a los Pinscher Miniatura no les agrada compartir su hogar con mamíferos peque-

La seguridad del perro al aire libre incluye una cerca de la altura adecuada y la garantía de que no haya plantas tóxicas o productos químicos peligrosos en el lugar.

ños, porque su instinto de cazador de roedores les impide sentir amistad hacia ellos. Hay algunos que toleran las aves exóticas, pero incluso con estas no puede uno descuidarse y es preciso mantenerlas separadas del «Pinscher Miniatura al mando».

Además de la jaula, al Pinscher Miniatura le gustará tener un lecho canino acolchado o un cojín para descansar.

LLEGADA A CASA DEL CACHORRO

Resumen

■ Antes de llevar el cachorro a casa, prepare lo esencial: alimento, recipientes para la comida, collar, chapas de identificación, juguetes, collar, correa, jaula, cama y cobertor, cepillo...

■ Convierta su casa en un lugar seguro eliminando todo lo que pueda presentar una amenaza para el perro, tanto dentro como fuera de la vivienda.

■ Elija inteligentemente el lugar donde va a dormir el Pinscher Miniatura, porque es donde deberá hacerlo el resto de su vida.

■ Hay que ser muy prudente a la hora de relacionar al cachorro con los niños o con otras mascotas, y nunca perderlos de vista.

El Pinscher Miniatura es un perrito inteligente y perfectamente capaz de aprender, pero a veces se portará mal.

Es una raza muy adiestrable que se da cuenta en seguida cuando ha hecho algo que no está bien. Si usted lo ha adiestrado sensata y consistentemente, es posible que la próxima vez se porte mejor. Si no, con un poquito de suerte lo hará más adelante. Cuando necesite regañarlo, emplee un tono serio. Para enseñarle dónde hacer sus necesidades, debe mostrarse firme pero no áspero; no sea nunca rudo con el Pinscher Miniatura.

Antes de llegar a su casa puede que el cachorro ya haya recibido algún tipo de educación básica; al menos, hasta cierto punto. Pero, aun así, debe comprender que su vivienda es completamente diferente de la del criador, y eso lo obligará a volver a establecer las reglas. Las puertas no están en los mismos lugares, la familia puede que se levante y se acues-

Los perros pequeños como el Pinscher Miniatura pueden adiestrarse para usar una cubeta de desahogo como la de los gatos. Si lo acostumbra a eso, tiene que llevársela cuando vaya de viaje con él, porque es lo que asocia con sus necesidades fisiológicas.

te a horas diferentes, y el perro necesita tiempo para asimilarlo y adaptarse.

La rapidez con que logre educar al perro dependerá, en cierto grado, del propio entorno y de la estación del año. La mayoría de los cachorros salen alegremente al patio en tiempo seco, pero cuando llueve mucho rechazan hacerlo y necesitan ¡estímulos abundantes!

Enseñarles a hacer sus necesidades sobre papel de periódico resulta siempre útil en los primeros tiempos. Debe colocar el pliego cerca de la puerta para que el perro aprenda a asociarlo con la acción de salir al exterior. Cada vez que las haga sobre el papel, alábelo. Obviamente, lo ideal es sacar el cachorro tan pronto muestre señales de necesitar deshogarse, pero, una vez más, eso depende de si su casa tiene acceso directo al patio.

La educación con jaula es el método que elige la mayoría de los dueños y los criadores para enseñar a los perros los hábitos correctos de desahogo corporal. La jaula, adquirible en cualquier tienda para mascotas, puede ser una pequeña, de alambre, que

Recuerde que el Pinscher Miniatura goza estando al aire libre, así que mantenga limpio el jardín. Si le ha enseñado a evacuar fuera de la casa, recoja las heces en seguida.

La mejor manera de educar al Pinscher Miniatura es enseñarle a «ir al baño» fuera de la casa. Si la suya no tiene patio, tendrá que sacarlo con frecuencia y con la correa puesta, para que pueda desahogarse (no olvide llevar una palita y un recogedor, o bien una bolsa de plástico).

durará tanto como el perro. Este método es el más eficaz y se basa en el deseo instintivo de los canes de mantener limpios los lugares donde duermen. La regla dorada: «No se hacen las necesidades en el dormitorio», la inventaron los perros. Es preciso acostumbrar al cachorro a dormir, descansar y jugar en la jaula. Así pronto aprenderá a considerarla como su propio lugar especial, «su habitación», si le gusta más. Hay que sacarlo después de cada siesta y llevarlo hasta el sitio donde acostumbra a desahogarse en el patio o el jardín. Condúzcalo con la correa en lugar de llevarlo en brazos y hacer que se sienta como un «niño grande». Elógielo cuando haya evacuado fuera de la casa.

Recuerde que los cachorros necesitan desahogarse con mucha mayor frecuencia que los perros adultos: inmediatamente después de despertarse y después de las comidas. De hecho, no es mala idea sacarlos cada hora, siempre que estén despiertos. Mantenga los ojos abiertos porque un cachorrillo no es capaz de aguardar los dos o tres minutos que usted necesita para

sacarlo. Si se retrasa, se orinará o defecará, ¡así que esté alerta!

La jaula ayuda al cachorro a desarrollar los músculos que le permiten «aguantarse». Como le asiste un fuerte deseo de no ensuciarse dentro, aprende a controlar los músculos excretores del cuerpo. Él cuenta con que lo van a llevar al patio cada vez que lo sacan de la jaula.

A medida que el perrito madure, «pedir» que lo saquen se convertirá en una segunda naturaleza, y va a resultar raro que el Pinscher Miniatura ensucie la casa. Los sementales, sin embargo, pueden comportarse de manera diferente debido a que marcan el territorio y, para hacerlo, pueden elegir las patas de la mesa o de las sillas. Estas conductas de marcaje se evitan esterilizando a los cachorros machos a edades tempranas.

Las órdenes de una sola palabra son muy útiles. «Fuera» o «Popó» funcionan bien. Nunca, jamás, olvide elogiar a su perro cuando haya consumado el hecho en el lugar deseado. Si no ocurre así, regáñelo verbalmente, pero esto sólo funciona si lo sorprende en el acto. Si trata de

La educación incluye establecer las reglas de la casa y atenerse a ellas. Un Pinscher Miniatura (o dos) le dejarán suficiente espacio en el sofá, pero es usted quien decide si desea que los perros se suban a los muebles.

reprenderlo más tarde, él no entenderá qué es lo que ha hecho mal y el correctivo sólo servirá para confundirlo.

Es vital limpiar de inmediato cualquier suciedad, y si el animal se ha desahogado en el lugar erróneo, hay que higienizarlo a fondo para eliminar cualquier olor ya que, de lo contrario, intentará usarlo de nuevo. Cuando el cachorro sea lo bastante maduro para llevarlo a lugares públicos, lleve siempre una palita y un recogedor o, en su defecto, una bolsa de plástico para retirar las heces. En todas partes hay un *lobby* «antiperro», así que, por favor, no dé motivos de queja.

¡No ignore las señales! Si el Pinscher Miniatura está esperando cerca de la puerta, eso quiere decir algo.

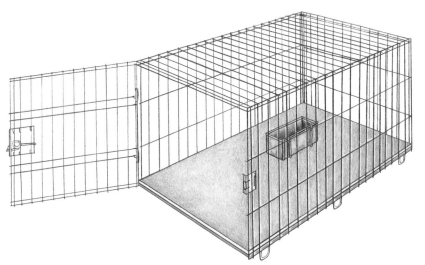

Una jaula de alambre del tamaño adecuado se convertirá en el refugio especial del perro, que él querrá mantener limpio.

PRIMERAS LECCIONES

Resumen

■ La educación básica, o sea, la enseñanza de hábitos adecuados para el desahogo corporal, es esencial que la ponga en práctica todo dueño de perros.

■ La jaula es la mejor respuesta para la educación básica del Pinscher Miniatura. Aprenda cómo usarla correctamente y nunca la convierta en un instrumento de castigo.

■ Enséñele una orden de desahogo al cachorro para que le indique cuándo necesita salir a hacer sus necesidades. No ignore sus señales.

■ En este, como en todo otro adiestramiento, se debe elogiar al perro cuando hace lo que uno desea. Regáñelo sólo cuando lo sorprenda orinando o defecando, y no después.

■ La educación con papel de periódico es una variante para comenzar a enseñar buenos hábitos de evacuación al cachorro de Pinscher Miniatura, aunque no es tan adecuada como la jaula.

Educación
inicial

No se preocupe mucho si le parece que el cachorro se siente menos seguro ahora, al llegar a casa, de lo que parecía cuando aún estaba con el criador.

Comprenda que todo es totalmente desconocido para él. Está en medio de sonidos y olores que no le resultan familiares y requiere tiempo adaptarse a un ambiente nuevo. En estos primeros tiempos, él esperará que usted, su amo, le provea de la protección y la confianza que necesita.

Empiece por acostumbrarlo a sus familiares más cercanos. La confianza que le infunda lo ayudará en la socialización, factor particularmente importante en el Pinscher Miniatura. Pronto podrá relacionarlo con un círculo más amplio de familiares y amigos. Pero, por favor, trate de no abrumarlo exponiéndolo a demasiadas personas y lugares desconocidos, todo al mismo tiempo.

No hay nada más seguro que la jaula para trasladar al Pinscher Miniatura al área de adiestramiento. Comprobará su utilidad en muchas ocasiones a lo largo de la vida del perro.

La posibilidad de sacarlo a lugares públicos depende de la edad del animal y de si ya ha completado su ciclo de vacunación. En cualquier caso, le recomiendo que durante los primeros días lo deje adaptarse a la vivienda antes de llevarlo más allá de la casa y el patio. Hay muchas cosas que puede hacer con él en su propio hogar, y seguro que se divertirán mucho juntos, aunque también hay que permitirle descansar lo suficiente.

Si ha decidido limitarlo por algún tiempo al entorno hogareño, puede jugar con él y entretenerlo con juguetes suaves, seguros y adecuados, evitando que tire de ellos –o de cualquier otro objeto– con demasiada fuerza. Para evitar que se lastime, revise los muñecos con regularidad a fin de verificar si tienen aristas afiladas o fragmentos desprendidos –como los silbatos–, ya que los afilados dientes del cachorro pueden destrozarlos con facilidad. Después de la dentición, no se recomiendan los juguetes suaves. En su lugar, déle huesos de nailon y

Cuando tenga puestas las vacunas requeridas, ponga en contacto al Pinscher Miniatura con el mundo exterior. El cachorrito de la imagen aún no está del todo preparado para dar este gran primer paso.

La socialización temprana comienza antes de que los cachorros se vayan a sus nuevos hogares. Aprenden las reglas caninas de su madre y se acostumbran a interactuar con las personas gracias al tiempo que pasan en compañía del criador.

otros de consistencia dura. Vigile el estado de todos los muñecos del perro.

No importa si piensa o no llevar a su Pinscher Miniatura a exposiciones; adiestrarlo desde el primer día enseñándole a quedarse quieto sobre una mesa, ya sea para acicalarlo o sólo para admirarlo, siempre es bueno. Las lecciones serán de utilidad en múltiples ocasiones, como cuando lo lleve al veterinario, a quien le resulta más fácil tratar con un perro disciplinado, a la vez que usted se sentirá muy orgulloso de su inteligente mascota.

Acostumbre al cachorro a andar con la correa, extraña experiencia para un animal tan diminuto. Comience por ponerle un simple collar de hebilla, no demasiado apretado pero tampoco demasiado suelto (para que no se le enganche en los objetos, lo que le causaría pánico y quién sabe si hasta algún daño). Déjeselo puesto durante algunos minutos cada vez, y vaya ampliando el tiempo de manera paulatina hasta que el perrito se sienta cómodo con esa «prenda». No espere milagros: la adaptación puede tardar varios días.

Entonces, cuando ya el cachorro se sienta cómodo con el collar, añada una correa ligera y pequeña, de enganche seguro, pero fácil de abrir y cerrar. Hasta ahora, el Pinscher Miniatura ha ido donde quería y se sentirá muy extraño atado a algo que restringe sus movimientos. Por eso, cuando entreno mis propios cachorros me gusta permitirles –durante las primeras sesiones– que sean ellos los que me «lleven» a mí; después, empiezo a ejercer una ligera presión, y a partir de ahí puedo comenzar con el verdadero entrenamiento, y soy yo la que dirige al perro.

Lo común es comenzar el adiestramiento con el cachorro caminando en el lado izquierdo. Cuando usted considere que ya lo ha aprendido, puede probar a colocarlo en el derecho, pero sin prisas. Si se propone llevar al Pinscher Miniatura a exposiciones, en ellas, por lo general, tendrá que hacerlo caminar a su izquierda, pero hay ocasiones

Si su cachorro de Pinscher Miniatura ha sido debidamente vacunado y está listo para salir de casa, puede comenzar la socialización. A él le conviene el contacto con nuevos escenarios, sonidos, olores y experiencias.

en que también es necesario colocarlo a la derecha para no obstaculizar la vista del juez.

Cuando el cachorro vaya creciendo puede enseñarle a sentarse dándole una orden sencilla como, por ejemplo: «Siéntate», a la vez que le presiona un poco la grupa para mostrarle lo que desea que haga. Le llevará algún tiempo, pero al final lo conseguirá. Cuando realice la orden, elógielo efusivamente pero, al mismo tiempo, nunca le grite ni se enfurezca cuando no lo haga porque con eso causará más daño que bien. Si su perro está destinado a exposiciones puede optar por no enseñarle a sentarse, para que no se le ocurra hacerlo cuando esté en el *ring*.

Una vez que el cachorro de Pinscher Miniatura esté listo para aventurarse en lugares públicos, comience por llevarlo a sitios tranquilos, sin muchas distracciones. Verá cómo su confianza aumenta y entonces podrán visitar juntos otras zonas, con cosas, olores y sonidos incitantes. Al perro siempre hay que tenerle puesta una correa segura de la que no se pueda desprender (diferente de la que se usa para las exposiciones).

Cuando usted y el Pinscher Miniatura hayan desarrollado plena confianza mutua, tal vez pueda dejarlo andar suelto en áreas donde sea lícito hacerlo, siempre y cuando estén cercadas; aun así, no lo pierda nunca de vista. Asegúrese de que el lugar elegido sea completamente seguro y de que perros extraños no puedan aparecer de repente allí.

Ya hemos analizado los beneficios de la educación con jaula para enseñar al cachorro dónde y cuándo hacer sus necesidades fisiológicas, pero las jaulas tienen otras ventajas, como el entrenamiento, los viajes y la seguridad en general. Son útiles tanto para las mascotas como para los perros de exposición. En las competiciones, la mayor parte de los perros (y todas las razas miniatura) permanecen en sus jaulas parte del tiempo mientras esperan para entrar a pista. Estas son igualmente útiles durante los viajes, porque los protegen de todo riesgo. En casa, parecen apreciarlas como lu-

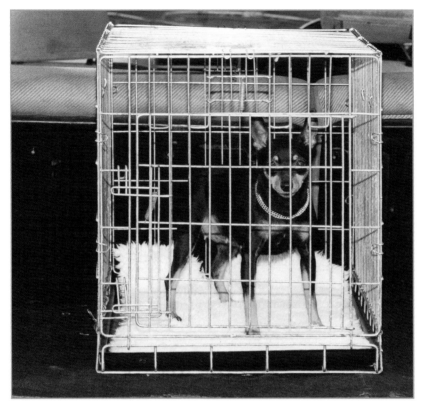

Para acomodar al Pinscher Miniatura no se necesita una jaula grande. La suya, por pequeña, será fácil de transportar y lo mantendrá seguro durante los viajes en coche, ¡tanto si sólo está dando vueltas a la manzana como atravesando el país!

gares seguros, y no les importa quedarse dentro por cortos períodos de tiempo. Esto resulta especialmente útil cuando no los podemos supervisar o cuando hay mucho ajetreo en el hogar y no deseamos que se nos enreden en los pies.

Al principio del adiestramiento con jaula, permanezca a la vista del cachorro y ofréz-cale un juguete o cualquier otra cosa que ocupe su mente canina. En estos primeros momentos, déjelo en la jaula sólo por breves ratitos, no más de uno o dos minutos y, gradualmente, vaya incrementando los plazos. Nunca lo encierre por largos períodos de tiempo porque es cruel. La mayoría de los perros pueden permanecer enjaulados durante el sueño nocturno y durante unas pocas horas al día.

Otro aspecto positivo del adiestramiento con jaula es que proporciona al Pinscher Miniatura un lugar de descanso en caso de enfermedad o cuando el clima sea desapacible. Si el veterinario le recomienda «reposo en cama», puede ponerlo a dormir en su jaula. En cambio, los perros que no han sido entrenados con ella no pueden ser confinados fácilmente cuando necesitan reposo. Después de la esterilización o si ha habido que someterlo a cualquier otra

A toda futura estrella del *ring* se le enseña a «posar», o sea, a mantenerse quieto, de pie. El adiestramiento de los perros de exposición comienza temprano.

A los perros de exposición se les enseña a «posar» sobre una mesa para que el juez los examine. Practique en casa esta postura haciendo posar al Pinscher Miniatura sobre la mesa de acicalado.

clase de cirugía (como cataratas o una operación de la rótula), la jaula funciona como la sala de recuperación ideal. ¿Qué mejor sitio para restablecerse que uno propio y especial?

EDUCACIÓN INICIAL

Resumen

■ La socialización es una de las claves para que el Pinscher Miniatura se adapte satisfactoriamente. Una vez vacunado, puede ponerlo en contacto con el mundo exterior.

■ El primer adiestramiento incluye acostumbrar al cachorro al collar y la correa, y darle tiempo de sentirse cómodo con ellos.

■ En lugares públicos esté siempre al tanto de la seguridad de su mascota.

■ La jaula es mucho más que una efectiva herramienta para la educación básica. Explore sus múltiples usos y beneficios para el cuidado y protección de su perro.

Las órdenes básicas

Por su inteligencia y espíritu alerta, el Pinscher Miniatura es un buen candidato para aprender habilidades nuevas.

Este pupilo disfrutará siguiendo sus órdenes, siempre y cuando sea usted constante en el adiestramiento. No olvide que esta raza es famosa por hacer de bufona de la corte y, a veces, un Pinscher Miniatura escogerá gastarle una broma en lugar de hacer lo que le ordena.

Aunque a algunos ejemplares de exposición se les adiestra en obediencia, muchos presentadores consideran que eso puede perjudicar su desempeño en el *ring*, así que téngalo presente si se propone exhibir al suyo. Aun así, es recomendable enseñar buenos modales a todos los perros; sólo que, en el caso de los que van a exposiciones, la manera de hacerlo variará un poco.

En cualquier tipo de adiestramiento es esencial conseguir la atención total del animal; esto

No olvide dedicar un tiempo del adiestramiento al juego. Es casi seguro que el perro estará más dispuesto a cooperar con las lecciones si las asocia con algo divertido.

se logra con la ayuda de golosinas, a fin de que aprenda a asociarlas con el elogio, un refuerzo positivo. El método de adiestramiento que proponemos a continuación incluye recompensas comestibles, aunque eventualmente habrá que espaciar estos «auxiliares pedagógicos» y dejar que la recompensa sea sólo el elogio, con alguna que otra golosina ocasional. Las órdenes deben ser siempre sencillas, de una o dos palabras cortas. Para no aburrir al perro, las sesiones de adiestramiento deben ser breves. A fin de tener éxito, es importante que él esté muy atento a lo que le estamos enseñando.

De vez en cuando puede ser necesario regañar al perro, pero el método de adiestramiento debe basarse en el refuerzo positivo, que usa el elogio y las golosinas como elementos de motivación y recompensa.

Siéntate

Sostenga la correa con la mano izquierda mientras guarda una golosina en la derecha y permite que el Pinscher Miniatura la huela o la lama, sin que la atrape. Mientras le dice «siéntate», vaya alejando la mano y elevándola despacio sobre la cabeza del perro para que este tenga que mirar hacia arriba. Al hacerlo, doblará las rodillas y se sentará. Cuando

«Siéntate» es la primera orden que se le enseña al Pinscher Miniatura. Puede que al principio sea necesario guiarlo a la posición, pero después de unos cuantos intentos, él debe entender lo que usted espera que haga.

lo haga, déle la golosina y alábelo profusamente.

Camina

Un perro adiestrado en este ejercicio caminará junto a su dueño sin tirar de la correa. Aquí también debe sostener esta con la mano izquierda mientras tiene al Pinscher Miniatura sentado junto a la pierna del mismo lado. Mantenga el extremo de la correa en la mano derecha, pero contrólela más abajo con la izquierda.

Adelante un paso con la pierna derecha, ordenándole: «Camina». Para empezar, dé solo tres pasos y luego, otra vez, ordénele sentarse. Repita este proceso hasta que el perro camine sin estirar. Entonces, podrá aumentar los pasos hasta cinco, luego hasta siete, y así sucesivamente. Elógielo verbalmente cuando termine cada ejercicio, y al final del entrenamiento déjelo disfrutar corriendo sin ataduras por el patio.

Échate

Cuando el perro haya dominado el ejercicio de sentado, puede empezar a practicar la orden de «échate». Lo primero es entender que todos los perros consideran la posición de tumbado como de sumisión; de ahí la importancia de adiestrarlos con tacto y suavidad. Su confiado y prepotente Pinscher Miniatura no la asumirá de manera instantánea, así que tómese su

No tiene sentido adiestrarlo si el Pinscher Miniatura no lo está mirando por andar distraído con alguna cosa que le parece más interesante. Gánese y retenga la atención del perro haciendo que las lecciones sean cortas y positivas. Igual que nosotros, ¡los perros también se aburren!

tiempo y sea paciente. Recuerde que aquí el perro dominante es usted y no su presuntuoso amiguito.

Con el pupilo sentado a su izquierda, sostenga la correa con la mano izquierda y guarde una golosina en la derecha. Ponga la mano izquierda sobre la cruz del Pinscher Miniatura, sin empujar, y la golosina justo debajo de la trufa, mientras le dice en un tono agradable y tranquilo: «Échate». Gradualmente, mueva el bocadito a lo largo del suelo, frente al perro, mientras le habla con suavidad. Él seguirá el rumbo de la golosina y se irá echando. Cuando sus codos toquen el suelo puede dejarlo tomar la recompensa y proceda a alabarlo, pero trate de que se quede echado por lo menos algunos segundos. Poco a poco, puede incrementar el tiempo de la postura.

Quieto

Puede enseñar el «quieto» con el perro tanto en la postura de sentado como en la de echado; sostendrá la correa con la mano izquierda y guardará la golosina en la derecha; deje que

el Pinscher Miniatura la lama mientras le dice: «quieto», y deja su posición al lado derecho del animal para ponerse de pie directamente frente a él. En silen-

Todos los perros necesitan que se les enseñe a caminar junto al tobillo del dueño, no importa el tamaño que tengan. Es poco probable que su Pinscher Miniatura pueda arrastrarlo calle abajo, pero la buena conducta es importante en todo momento.

cio, cuente hasta cinco y regrese entonces al punto original; déle la golosina a la vez que lo elogia efusivamente.

Las órdenes básicas

Siga practicando el «quieto» de esta misma forma por algunos días más y luego vaya incrementando poco a poco la distancia entre usted y el perro. Junto con la orden verbal, hágale una señal manual colocando la palma de la mano frente a él para indicarle que no debe moverse del lugar. Pronto podrá realizar este ejercicio sin la correa y su Pinscher Miniatura se irá quedando quieto por períodos de tiempo cada vez más largos. Elógielo con entusiasmo cada vez que haga bien el ejercicio.

Los perros de exposición, por supuesto, practican la orden de quieto estando de pie o «en pose». Sus presentadores deben mantenerlos de pie y perfectamente inmóviles mientras el juez los observa, primero cuando están todos en línea, y luego de manera individual.

Para comenzar con el «quieto» y «échate», haga que el perro se siente a su izquierda antes de que usted se adelante para colocarse frente a él.

Una vez que él se mantenga sentado frente a usted, incremente de manera gradual la distancia y el tiempo. Poniéndole la palma de la mano frente a la cara, como haciendo una señal de detenerse, reforzará la orden verbal de quedarse quieto.

La mayoría de los Pinscher Miniatura «posan» orgullosamente de manera natural. Un presentador experimentado puede aconsejarle sobre la postura correcta del Pinscher Miniatura, con los pies firmemente plantados en el suelo, el cuello bellamente arqueado y la cabeza en alto (¡como deben tenerla todos los ejemplares!)

La llamada «ven»

A su perro le encantará acudir cuando usted lo «llame»; de ahí el término. La idea consiste en «llamarlo» o invitarlo a venir y, en caso de que lo haga, ofrecerle una golosina y abundantes alabanzas. Esta orden es importante porque garantiza que el Pinscher Miniatura regrese a usted en caso de peligro o si lo ha perdido de vista. La mayoría de los entrenadores usa la orden «ven» con este fin.

Cuando llame al perro procure sonar optimista y feliz: a él le sobra cerebro para no acudir a usted si su voz le suena algo así como: «¡Voy a estrujarte el pescuezo por mordisquear mis zapatos Gucci!». ¿Es necesario decirle que nunca practique esta, o cualquier otra, orden cuando se encuentre de mal humor o esté enfadado con el perro? El adiestramiento tiene que resultar positivo para ambas partes.

Trucos

El Pinscher Miniatura es un personaje estupendo capaz de deleitarse aprendiendo uno o dos trucos. Después de todo, le encanta ser el centro de atención: ¡la estrella del espectáculo! Puede enseñarle lo que desee, pero hay perros que aprenden a dar la pata y otros a mendigar, lo cual resulta particularmente encantador. Unas cuantas golosinas y el placer que produce en usted con sus embelecos, serán motivación su-

Cuando el perro ya domine las órdenes básicas puede llevar el adiestramiento a un nivel superior, con alguna actividad. El circuito de agilidad es un popular deporte que se puede comenzar a practicar a partir de que el perro tenga un año de edad. Enfrentarse a los obstáculos del circuito será para el atlético Pinscher Miniatura una sesión de ejercicio físico y mental.

ficiente para que el talentoso Pinscher Miniatura aprenda cualquier truco. Diviértase adiestrándolo; las golosinas lo mantendrán entusiasmado, y ¡choque los cinco con su saltarín amiguito!

Él jamás lo admitirá, pero su Pinscher Miniatura inecesita y quiere disciplina! Le agradecerá el tiempo que dedica a su educación, y la relación entre usted y él será gratificante para ambos.

LAS ÓRDENES BÁSICAS

Resumen

■ Comience el adiestramiento básico con «la pata derecha». Las lecciones deben ser breves y positivas, e incluir golosinas y elogios para motivar y premiar al Pinscher Miniatura.

■ Escoja un lugar seguro y cerrado para impartir las lecciones.

■ El ejercicio de sentarse es el primero que debe enseñarle porque sirve de base para los demás.

■ La orden de echarse puede tomar más tiempo debido a que no es una postura natural para los Pinscher Miniatura.

■ Por su propio bien es esencial que el perro acuda invariablemente cuando se lo llame.

■ El juguetón Pinscher Miniatura le deleitará con sus aptitudes para aprender trucos.

Cuidados domésticos

Un Pinscher Miniatura sano vive entre doce y catorce años; a veces más. Claro que mientras más saludable esté, más probabilidades tiene de alargar su vida.

Conocer y entender bien a su perro le permitirá captar cualquier señal de que no se siente bien. Eso le ayudará a detectar cualquier problema en sus comienzos y llevarlo al veterinario sin pérdida de tiempo.

Cuidados dentales

Es responsabilidad del dueño mantener en buen estado la dentadura del perro. Se lo debe, porque las afecciones dentales no se restringen a la boca. Una infección en las encías puede derivar en toda suerte de complicaciones al diseminarse por el sistema y alcanzar los órganos internos, y terminar, incluso, en la muerte,

Con la ayuda de un mini cepillo y pasta dental canina, lave los dientes de su Pinscher Mi-

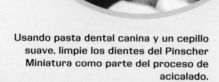

Usando pasta dental canina y un cepillo suave, limpie los dientes del Pinscher Miniatura como parte del proceso de acicalado.

niatura cuidadosa y suavemente. Si alguna de las piezas está floja, proceda con mayor cautela. Puede que, al principio, al perro no le guste mucho este proceso, pero si le limpia la dentadura con regularidad, pronto se acostumbrará. Los criadores experimentados se valen, a veces, de un raspador dental especial, pero no se lo recomendamos al dueño de mascotas porque, si no lo sabe usar correctamente, puede lastimar al animal, sobre todo si pertenece a una raza miniatura.

Cuando le lave la boca, revísele las encías para ver si están inflamadas. Si están rojas o hinchadas, llévelo al veterinario.

Primeros auxilios

Los accidentes ocurren y, en tal caso, debe mantenerse tan calmado y sereno como lo permitan las circunstancias. Si no reacciona exageradamente al encontrar una garrapata en la cabeza del Pinscher Miniatura o descubrir que la bolsa de fertilizante se ha vaciado de forma misteriosa, podrá pensar con mayor claridad (y hasta encontrar esta página).

Además de cepillarle los dientes, revísele toda la boca y compruebe el estado de sus encías.

Los juguetes para mordisquear ayudan a mantener los dientes limpios de sarro. Tenga cuidado con las carnazas (cuero) porque incluso las más grandes se ablandan a veces y el perro puede tragárselas y ahogarse con ellas.

Las picaduras de insectos son bastante frecuentes. Si el aguijón aún se encuentra en la piel, hay que extraerlo con unas pinzas. Puede aplicar hielo para reducir la inflamación, y luego es conveniente (previa consulta con el veterinario) administrar una dosis adecuada de antihistamínicos. En caso de que el aguijón esté clavado dentro de la boca del perro, llévelo al veterinario.

Una parte importante del cuidado cotidiano incluye mantener a salvo y seguro al Pinscher Miniatura. Cuando levante una cerca o lo confine a una jaula de alambre, no subestime su capacidad de escalar, saltar y cavar.

También el envenenamiento accidental es motivo de preocupación debido a que los perros lo investigan todo, y no todo es inofensivo. Si sospecha que su Pinscher Miniatura se ha envenenado, procure averiguar con qué, porque el tratamiento difiere según el tipo de veneno ingerido. Los vómitos o cualquier hemorragia súbita por algún resquicio del cuerpo, como las encías, pueden indicar envenenamiento. En este caso, es urgente la atención veterinaria.

Los pequeños rasponazos deben limpiarse bien antes de aplicar un antiséptico. Si el sangrado es copioso, empiece por presionar el área. En caso de quemaduras pequeñas, aplique agua fresca.

Ante una conmoción, producto de un accidente de tránsito, por ejemplo, mantenga al perro caliente mientras avisa a la asistencia veterinaria urgente.

Frente a un golpe de calor, debe rociar al perro con agua fría de manera inmediata, sobre todo, echarle agua sobre la cruz, pero en los casos severos hay que sumergirlo en agua hasta el cuello. Los canes pueden morir con rapidez por un golpe de calor, de ahí la importancia de la intervención veterinaria. Por el contrario, en caso de hipotermia, conserve la temperatura del animal valiéndose de botellas de agua caliente y, si puede,

mucho tiempo, se va a dar cuenta cuando hay algo que no anda bien. Puede que haya rechazado la comida o que se vea lánguido y aburrido. Sus ojos, por lo general brillantes y vivaces, parecen haber perdido su

Estos amantes del sol disfrutan del calor y el aire fresco. Durante el verano, los perros deben tener acceso a la sombra y el agua fresca abundante para evitar los peligros de un golpe de calor.

dele un baño de agua cálida, mientras localiza al veterinario.

Cómo reconocer las señales de enfermedad

Si de verdad quiere a su Pinscher Miniatura y pasa con él

chispa, y tiene el pelaje más opaco de lo habitual.

Los hábitos de desahogo corporal del perro también pueden darnos pistas sobre su salud. Las diarreas suelen desaparecer en veinticuatro horas, pero si se extienden por más tiempo y,

Observe la conducta de su Pinscher Miniatura para cerciorarse de que se está comportando como lo que es: una criatura alerta, alegre y sana.

sobre todo, si tienen sangre, hay que acudir al veterinario. Observe también si su perro se muestra más sediento que de costumbre y la frecuencia con que orina, pues todo eso puede poner en evidencia un problema de salud.

Cómo detectar a los parásitos

Es importante mantener el pelaje canino en óptimas condi-

ciones y estar alerta en relación con los parásitos, que pueden resultar agobiantes y provocar irritaciones cutáneas. No siempre es fácil detectarlos, pero si logra ver una sola pulga puede estar seguro de que habrá muchas más escondidas por ahí. En la actualidad se dispone de una variedad de buenos productos –que su veterinario podrá recomendarle– para prevenir los parásitos externos. En algunos países, los mejores remedios sólo pueden obtenerse en la consulta veterinaria.

De igual modo, es necesario estar al tanto de los ácaros en los oídos. No son visibles, pero cualquier secreción carmelita con cierto olor es indicio de su presencia. El veterinario le prescribirá el tratamiento adecuado.

Los perros también pueden tener parásitos internos en forma de gusanos. Los más comunes son las ascárides, pero las tenias, menos frecuentes, pueden resultar todavía más debilitantes.

Los gusanos del corazón los transmiten los mosquitos y resultan mortales. Pregunte a su veterinario sobre algún programa preventivo. Debido a la incidencia de este parásito en Estados Unidos, se aconseja

Tenga presente que muchas enfermedades caninas se transmiten fácilmente mediante el contacto físico, por eso debe conocer bien a los perros que se relacionan con el suyo.

iniciar el programa a las ocho semanas de edad, no importa el lugar de residencia. Los antiparasitarios preventivos pueden administrarse mensualmente, o cada dos o tres meses, según el que se use. Como este medicamento puede envenenar a los gusanos en cualquiera de sus estadios de desarrollo, incluso los parasiticidas mensuales pueden administrarse cada tres meses y aun así mantener al animal libre de parásitos. Es lógico que a los dueños no les guste estar dando a sus perros frecuentemente «veneno contra gusanos». Puede que el ve-

Parásitos, agentes alergénicos, insectos con aguijón y otros elementos irritantes se esconden en la hierba, pero eso no significa negarle al animal la posibilidad de pasar tiempo al aire libre. En lugar de eso, sea diligente revisándole la piel y el pelaje para detectar cualquier indicio de problema.

terinario no concuerde con la opinión de la autora pero, en cualquier caso, sopese los pros y los contras antes de someter al Pinscher Miniatura a un programa parasiticida.

En una cosa sí concuerda todo el mundo y es que al perro hay que desparasitarlo durante toda su vida, para lo cual es recomendable seguir el criterio del veterinario. Cuando converse con él de estos temas, no se comporte como un sabelotodo porque puede crearse entre ustedes una relación adversa que afectará a su inocente y adorable Pinscher Miniatura. Es vital establecer un vínculo inteligente y amistoso con el médico. Él le respetará más al saber que es la preocupación que siente por su mascota la que lo lleva a informarse sobre una serie de asuntos que le permiten cuidarlo de manera responsable.

CUIDADOS DOMÉSTICOS

Resumen

■ Atender la dentadura canina debe formar parte importante de la rutina de cuidados caseros. La acumulación de placa y las enfermedades asociadas a ella pueden provocar graves problemas de salud.

■ Aprenda a identificar los signos de una emergencia y cómo aplicar los primeros auxilios.

■ Durante las sesiones semanales de acicalado, observe las condiciones de la piel y el pelaje del Pinscher Miniatura.

■ Estudie los signos del bienestar y los síntomas de las enfermedades para que pueda detectar cuándo el Pinscher Miniatura no anda bien de salud.

■ Analice con el veterinario un programa parasiticida inofensivo para el perro.

Alimentación del Pinscher Miniatura

El Pinscher Miniatura probablemente disfrutará de la comida, pero no deje que se ponga obeso. El peso excesivo puede apreciarse con facilidad en una raza miniatura y de pelo liso como ésta, que tiene (o debería tener) ¡cintura!

El criador alimenta a la camada con una buena comida para cachorros. Esta persona será siempre una fuente útil de consulta en cuanto a la alimentación del Pinscher Miniatura, incluyendo los cambios que deben hacerse luego en el programa alimentario, tanto de horarios como de cantidades, y también cuando llegue el momento de hacer la transición a la comida para perros adultos.

Los perros gordos son más propensos a tener problemas de salud que los que tienen el peso adecuado y se mantienen en buenas condiciones. En el caso de los primeros, las articulaciones y el corazón están sometidos a mayor tensión, y cuando hay que usar anestesia, se incrementa el riesgo. Como el Pinscher Miniatura es, por naturaleza, activo, no le será difícil mantenerlo en forma dándole una dieta sensata y equilibrada.

En la actualidad hay en el mercado una enorme variedad de alimentos caninos; muchos, científicamente equilibrados y diseñados para edades específicas (cachorros, jóvenes, adultos y ancianos). Elegir uno para el perro es un asunto de preferencia personal aunque, al principio, es casi seguro que estará influenciado por la marca y el tipo que le daba el criador. Claro, al llevarse al cachorro podrá hacer cambios, pero nunca le cambie de una comida a otra de manera súbita, porque le afectará el estómago. Introduzca de forma gradual, a lo largo de varios días, la nueva marca de alimento, hasta que haya sustituido del todo la anterior. Por lo general, no hay riesgos en hacer cambios de sabor, siempre y cuando uno se mantenga dentro de la misma marca. Es una manera de dar variedad a la dieta. Aunque puede que prefiera tentar el paladar del perro agregándole un poco de caldo sazonado.

El agua es tan importante en la dieta canina como una correcta nutrición. El perro siempre debe tener agua fresca y limpia a su disposición.

Si se decide por el alimento seco, lea despacio las instrucciones de la bolsa, porque es ahí donde informan sobre la cantidad que debe comer un perrito de la talla del Pinscher Miniatura. Además, hay comidas a las cuales se recomienda añadir agua antes de servirlas, sobre todo si son para cachorros. Debido al pequeño tamaño del Pinscher Miniatura, es mejor comprarle el granulado elabora-

Con un perro tan esbelto y musculoso como el Pinscher Miniatura, es fácil darse cuenta de si ha engordado algún kilo e, incluso, ¡algunos gramos!

do para «mordida pequeña», o sea, para bocas miniatura.

La comida seca debe guardarse en un lugar apropiado, sin olvidar que su valor vitamínico disminuye con el tiempo; por lo general, dentro de un plazo de tres meses. Es esencial que el perro disponga de abundante agua fresca, en especial si se está alimentando con granulado; aunque está de más decir que todo perro debe tener acceso permanente al agua, consuma lo que consuma.

Debido a la enorme variedad de productos disponibles puede resultarle difícil elegir un tipo de alimento sin el consejo del criador o de otro aficionado al Pinscher Miniatura. No obstante, tenga presente que, en su etapa adulta, los perros activos necesitan mayor contenido de proteína que los sedentarios.

A pesar de los grandes avances en nutrición canina que han logrado los productores de alimentos, algunas personas prefieren dar a sus perros comidas frescas. Si está interesado en experimentar con esta variante debe asegurarse de que sabe preparar una dieta nutritiva, equilibrada y completa. En la actualidad, parece haber cierta sensibilidad para volver a dar los alimentos naturales que los perros comerían si vivieran en estado salvaje. Ciertos dueños les dan, incluso, alas de pollo crudas, algo que sus mascotas parecen disfrutar, si bien nunca debe dar al suyo huesos de pollo cocidos. Muchos aseguran que las alas de pollo los ayudan a mantener los dientes limpios y el aliento fresco. Los vegetales cocidos también son beneficiosos en este tipo de dieta. Un consejo: cerciórese de no incluir ningún elemento dañino en la dieta del Pinscher Miniatura, como puede ser cualquier clase de hueso cocinado.

Son numerosas las personas que sucumben a la tentación de dar golosinas a sus perros entre una comida y otra, pero esto no es bueno porque en exceso puede hacer que los animales aumenten de peso de manera casi imperceptible. Una alternativa muy conveniente es darles ocasionalmente un trozo de zanahoria. ¡A la mayoría de los perros les encanta! La zanahoria

Las comidas caninas de calidad deben contener, equilibrados y en las proporciones adecuadas, todos los nutrientes que el perro necesita.

no los engorda y los ayuda a mantener limpios los dientes. Los perros no deben comer chocolate elaborado para el consumo humano porque, para ellos, resulta carcinogénico. La cebolla es otro «alimento humano» tóxico para los perros.

Usted es quien determina la cantidad de veces al día que co-merá su Pinscher Miniatura adulto. Muchas personas escogen alimentar a sus perros una vez al día, mientras que otras prefieren darles dos raciones pequeñas diarias. Igual que los bebés, los cachorros necesitan alimentarse con mayor frecuencia, pero el criador le aconsejará a este respecto. También le

Alimentación del Pinscher Miniatura

Si está haciendo un viaje por carretera o disfrutando de un día de exposición, lleve todos los accesorios necesarios para su mascota: jaula, comida, agua y recipientes.

dirá que la transición del programa alimentario de cachorro a adulto, debe hacerse de forma gradual.

A medida que los perros envejecen cambia su metabolismo y, por ello, pueden modificarse sus necesidades nutricionales.

Un cambio típico es pasar de una comida diaria a dos o tres raciones más pequeñas. Para ese entonces usted ya conocerá bien a su mascota y podrá ajustarle la dieta convenientemente. Si tiene dudas, el veterinario podrá orientarle.

ALIMENTACIÓN DEL PINSCHER MINIATURA

Resumen

■ La calidad de la comida es un factor importante. La vía más segura y conveniente de proporcionar una nutrición completa al Pinscher Miniatura es dándole un excelente alimento canino.

■ Analice con el veterinario y con el criador la cantidad de alimento que debe dar al Pinscher Miniatura. Pregúnteles también con qué frecuencia debe hacerlo y qué reajustes hay que efectuar en cada etapa de la vida.

■ Si está interesado en los alimentos frescos, debe informarse sobre cómo preparar correctamente la dieta de su perro para garantizarle nutrición y salud.

■ Una golosina es siempre una recompensa agradable, pero ¡no se exceda!

Como el Pinscher Miniatura tiene el pelo corto, su acicalado, comparado con el de otras razas, es mínimo.

El pelaje corto del Pinscher Miniatura no requiere cuidados exquisitos para mantenerlo siempre reluciente y bien arreglado.

Aun así, atenderle el pelaje es parte esencial del mantenimiento canino y debe ser placentero tanto para el perro como para el dueño. Sin duda alguna, el proceso de acicalarlo estrechará el lazo entre los dos. En condiciones ideales, deberíamos arreglar al Pinscher Miniatura sobre una mesa firme, de superficie antideslizante. Lo perfecto para él (y para la futura espalda sin dolor del propietario) es una mesa de acicalado que puede adquirir en una tienda para mascotas. Observará que los instrumentos que utilizan los dueños para el arreglo de sus Pinscher Miniatura varían un poco de acuerdo con lo que ellos consideran personalmente más conveniente. Esperamos que el criador le asesore sobre el tema cuando hablen del cuidado del cachorro. Una vez que haya ganado en experiencia desarrollará sus propias preferencias.

Cuidado del pelaje

Es esencial mantener limpio el pelaje del Pinscher Miniatura y acicalarlo con regularidad. Muchas personas consideran poco recomendable bañar al perro con demasiada frecuencia porque eso tiende a resecarle el pelaje. No obstante, sí es aconsejable revisarle la piel y el manto todos los días para evitar futuros problemas.

El baño demasiado frecuente priva al perro de los aceites naturales que evitan la sequedad del pelaje y la piel. Pasarle un paño húmedo, entre un baño y otro, es una buena manera de mantenerlo limpio.

La mayoría de los dueños usan un guante de acicalado y un cepillo de cerdas suaves, que ayudan a eliminar el pelo suelto. Un cepillado vigoroso favorecerá que el Pinscher Miniatura conserve el pelaje limpio y reluciente.

El acicalado también masajea y estimula la piel. Incluso el masaje con la mano a favor del crecimiento del pelo ayuda a mantenerlo lustroso. Hay a quien le gusta usar una gamuza o trozo de terciopelo para dar el toque final.

Hay un utensilio de acicalado muy útil: el cepillo que se ajusta a la mano.

El baño

El baño no es cosa del otro mundo con un perro cuya talla

Acicalado del
Pinscher Miniatura

nos permite asearlo en el lavadero, si preferimos no hacerlo en la bañera. Acostumbrándolo desde pequeño, aceptará el baño de buena gana por el resto de su vida.

Antes de empezar, siempre cepíllele todo el pelo. Luego póngalo de pie sobre una superficie antideslizante. Compruebe la temperatura del agua con el reverso de la mano y use un champú para perros, nunca uno para personas. Evite que el agua le caiga en los ojos o en los oídos. Lo aconsejable es dejar la cabeza para el final para que el champú no se le escurra hacia los ojos mientras usted se concentra en otra parte del cuerpo. Esfuércese por alcanzar todas las zonas difíciles y no deje nada sin lavar.

Con cuidado, saque al Pinscher Miniatura del lavadero o de la bañera, envuelto en una toalla limpia y cálida. Ahora, séquelo por completo con la toalla o con una secadora eléctrica, sin olvidar que a los perros les molesta que les echen aire caliente en la cara. También recuerde que el Pinscher Miniatura es una raza de pelo corto y, por tanto, tiene la piel sensible; así que ajuste el secador para que expela el calor mínimo y manténgalo a cierta distancia del animal. Cuando termine, déjelo dentro de la casa y lejos de las corrientes de aire hasta que esté completamente seco.

Una alternativa al baño es pasarle una toallita mojada en agua tibia. Es útil si deseamos mantenerle el pelaje limpio sin que pierda mucho de sus aceites naturales, como ocurre cuando lo bañamos con frecuencia. Debe empezar por la cara, y prestar especial atención a la zona que se encuentra debajo de los ojos. Vaya pasándole el paño de adelante hacia atrás, en dirección a la cola. No hay problema en hacer esto cada unos cuantos días, siempre y cuando se asegure de que el perro está bien seco, antes de dejarlo salir al aire libre.

Ojos y orejas

Es importante mantener limpios los ojos y las orejas del Pinscher Miniatura, que hay que asear con cuidado usando alguna clase de limpiador especial de los que venden en las buenas tiendas para mascotas.

Si el perro ha estado sacudiendo la cabeza o rascándose las orejas, puede tener una infección o ácaros auriculares. Otros indicios de estos problemas azulosos. Tratadas a tiempo, las lesiones oculares tienen posibilidades de curarse, pero si se descuidan pueden conducir a la ceguera.

Las orejas erectas del Pinscher Miniatura están expuestas al polvo y la suciedad, por eso es importante revisárselas y limpiárselas con regularidad. Lo más seguro es usar una motita de algodón o algún paño suave antes que un bastoncillo, con el cual se corre el riesgo de penetrar en el canal auricular y lastimar al animal.

son una secreción espesa de color pardo y con mal olor, frente a los cuales es necesario consultar de inmediato al veterinario.

De igual modo hay que acudir en seguida al veterinario ante cualquier señal de lastimadura en los ojos, o si se le ponen

Uñas y pies

Al perro hay que mantenerle las uñas cortas, pero la frecuencia con que se las cortemos dependerá mucho de la superficie sobre la cual camina. Si lo hace, principalmente, sobre alfombras o hierba, necesitará más atención que si camina casi siempre sobre pavimento.

Debe enseñar desde pequeño a su Pinscher Miniatura a que le corten las uñas. Tenga mucho cuidado de no lastimarle el vaso sanguíneo que corre por dentro de ellas. Cuando se queje, sabrá que se le fue la mano. Le recomiendo tener a mano un lápiz o polvo estípticos para detener el sangrado, en caso de accidente. Lo más recomendable y seguro es cor-

tar sólo una pequeña fracción de la uña cada vez. También debe inspeccionarle los pies sistemáticamente para verificar que no se le haya incrustado ningún objeto extraño entre las almohadillas plantares.

Glándulas anales

Las glándulas anales radican a ambos lados del orificio anal. A veces se congestionan y necesitan ser liberadas. Los criadores

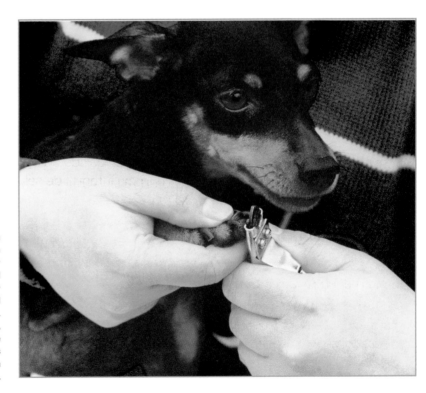

Compre un cortaúñas para perros y familiarice al Pinscher Miniatura con él desde cachorro. Si lo acostumbra, cuando crezca se dejará cortar las uñas sin dificultad.

experimentados suelen hacerlo ellos mismos, pero es mejor que los dueños de mascotas dejen el asunto en manos del veterinario, no sólo porque pueden lastimar al animal sino porque las glándulas no siempre necesitan que se las descargue. Cuando las heces son firmes contribuyen a su evacuación natural, por lo que la dieta influye en su condición.

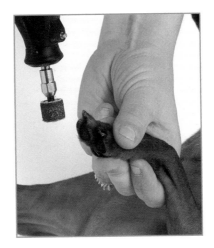

Algunas personas prefieren usar una lija eléctrica para mantener cortas las uñas de sus perros. Se trata de una elección personal. Hay canes a los que no molesta la lija, pero a otros parece perturbarles el ruido o el contacto con ella.

ACICALADO DEL PINSCHER MINIATURA

Resumen

■ Si bien el Pinscher Miniatura no necesita demasiado arreglo, el cuidado del pelaje es un elemento clave del programa integral de salud y debe comenzarse desde que el cachorro es pequeño.

■ El acicalado incluye el cuidado del manto, las uñas, los pies, las orejas, los ojos y las glándulas anales.

■ Sólo hay que bañar al Pinscher Miniatura ocasionalmente porque hacerlo con frecuencia le resecaría el pelo y la piel.

■ Cuando se presente un problema ocular o auricular no espere mucho para solicitar ayuda médica. El tratamiento a tiempo puede marcar la diferencia entre una rápida recuperación y el desarrollo ulterior de problemas más serios.

Cómo mantener activo al Pinscher Miniatura

Con seguridad, su Pinscher Miniatura es un perrito muy inquisitivo al que le encanta investigar nuevos lugares y olores.

Así, sus sentidos permanecen alerta. Aunque pequeño, el Pinscher Miniatura necesita ejercicio para mantenerse en óptimas condiciones físicas y mentales.

Bien adiestrados, algunos Pinscher Miniatura son bastante obedientes cuando están sueltos, pero hay que tener siempre en cuenta que se trata de un perro muy pequeño. Si sale corriendo detrás de un olor o si se encuentra con congéneres más grandes y pesados, puede ocurrir fácilmente un accidente. Por eso, la mayoría de los dueños deberían mantener a sus perros con la correa puesta o, incluso en brazos, cuando se encuentren en lugares públicos. Los Pinscher Miniatura pueden ser de menor tamaño que los Dobermans, pero ¡nadie les ha avisado! Así que mantenga ba-

Las exposiciones de conformación se cuentan entre las actividades más populares de los perros de pura raza, sobre todo en el caso del Pinscher Miniatura.

jo observación la diminuta «cabezota» de su Pinscher Miniatura.

Cuando no está acostumbrado a los niños pequeños puede asumir una actitud defensiva, si se le acercan de manera inesperada; por eso, usted no debe descuidarse ni un instante cuando lo lleve de paseo. Si ha habido mal tiempo, es importante secar al perro cuando regrese a casa.

Si tiene más de un Pinscher Miniatura, el juego entre ellos les proporcionará una forma de ejercicio. Pero en caso de que sea «hijo único», usted será su compañero de juegos favorito. En los alrededores de la casa y del patio pueden encontrar muchas cosas divertidas y entretenidas que hacer.

En la actualidad, algunos Pinscher Miniatura desempeñan labores terapéuticas, visitando hospitales y asilos. Su conveniente tamaño y alegre personalidad hace que los enfermos y los ancianos anhelen mucho estas visitas. También se sabe de ejemplares de la raza que han ejercido como «perros para sordos», trabajando como

Obstáculos como el túnel del circuito de agilidad no representan un problema para el Pinscher Miniatura, que usa su cuerpo tanto como su cabeza para aprender a superar con éxito las barreras del recorrido.

Si tiene un patio cercado, su Pinscher Miniatura tendrá la posibilidad de hacer mucho ejercicio, corriendo, jugando y explorando. Aunque el ejercicio favorito de su perro ies el que comparte con usted!

Cómo mantener activo al Pinscher Miniatura

asistentes de las personas que no pueden oír. Se les adiestra para escuchar sonidos, como el timbre del teléfono y el de la puerta, algo de mucha utilidad para las personas discapacitadas.

Siempre alerta y listos para actuar, los Pinscher Miniatura participan, de igual modo, en competiciones de obediencia. Bien entrenados, son capaces de descollar en esta disciplina. Puede que no sea esta raza di-

Cuando llegue la hora del paseo, su energético Pinscher Miniatura siempre estará preparado.

Mantenga ocupado al Pinscher Miniatura con juguetes interesantes e inofensivos. Recuerde que un perro aburrido siempre encuentra su propia manera de entretenerse que, probablemente, usted no aprobará.

minuta la que nos venga de inmediato a la mente cuando pensamos en el circuito de agilidad, pero los perros miniatura toman parte en él, con frecuencia; claro, en circuitos con obstáculos reducidos, adaptados a ellos. Un Pinscher Miniatura nunca podrá ganar a un Border Collie, pero ¡sí puede ser un desafío para un Pomerania o un Papillon!

Pero si su Pinscher Miniatura no participa en ninguna de esas actividades, aun así pueden compartir interminables horas de diversión. Él estará siempre feliz de retozar con algún juguete adecuado e inofensivo. No olvide revisar con regularidad sus muñecos para verificar que no haya partes sueltas que puedan lastimarlo de manera accidental.

El Pinscher Miniatura es un perro leal que disfruta la compañía de su propietario, por eso espera ansioso su retorno a casa. Si usted es de los que está trabajando fuera todo el día, no ignore a su perro cuando regrese. Dediquele siempre algo de tiempo.

CÓMO MANTENER ACTIVO AL PINSCHER MINIATURA

Resumen

■ Los paseos diarios dan al Pinscher Miniatura la oportunidad de hacer ejercicio, además de que el panorama y los ruidos del vecindario constituyen para él un estímulo mental.

■ Cuando esté con el perro fuera de casa, en cualquier sitio público, la regla es «con la correa».

■ El talento del Pinscher Miniatura puede canalizarse participando en trabajos de terapia o como asistente de discapacitados.

■ Las competencias caninas, ya sean de conformación, obediencia o agilidad, son excelentes foros para perros y dueños.

■ No olvide que la mejor actividad para el Pinscher Miniatura es la que hace en compañía de su persona favorita: ¡usted!

El Pinscher Miniatura y el veterinario

Ir al veterinario con un perrito pequeño como el Pinscher Miniatura es mucho menos problemático que manejar a un gigante, como el Gran Danés, en una sala de espera llena.

Usted puede llevar a su mascota bajo el brazo, en la jaula o en una caja transportadora. Pero no la ponga en el suelo. Recuerde que la consulta puede poner un poco tenso al perro, en especial si no se siente bien.

En caso de no tener ya un veterinario debe elegirlo con mucho cuidado. Es preferible que algún otro dueño de perros, cuya opinión le merezca confianza, le recomiende alguno. El emplazamiento de la consulta es también un aspecto de peso, porque puede ser necesario llevar al perro con urgencia –en caso de una emergencia–, y porque el veterinario debe ser capaz de acudir rápido cuando se lo requiera. Si vive en una zona rural, asegúrese, por favor, de escoger uno con experiencia

Demuéstrele a su Pinscher Miniatura el amor que siente por él proporcionándole atención veterinaria, y cuidándolo para que disfrute de una salud óptima.

suficiente en el tratamiento de mascotas; mejor si tiene práctica con razas caninas pequeñas. Abundan los profesionales avezados en animales de granja cuya pericia con perros es, por desgracia, muy limitada: algo que me tocó aprender a costa de una dura experiencia.

Vacunas

Será preciso llevar al cachorro al veterinario para completar su programa de vacunación y, más adelante, para las dosis de refuerzo. En la primera consulta, deben revisar la tarjeta de inmunización. Coordine una cita durante los primeros días en que el cachorro haya llegado a su casa. Como garantía de salud, la mayoría de los criadores le concederán cerca de una semana para someterlo a un reconocimiento veterinario. En el peor de los casos, si el médico detectara en el perro alguna enfermedad incurable o que pusiera en riesgo su vida, el criador debe aceptar que se lo devuelva.

La rutina de vacunación varía un poco en dependencia del lugar donde viva y del tipo de

Los criadores deben esmerarse en el cuidado de los cachorros, teniéndolos en un lugar limpio y estando atentos a su salud, porque esta es una etapa crucial en sus vidas.

He aquí dos Pinscher Miniatura, un adulto y un anciano, disfrutando de un rato al aire libre.

vacuna que use su veterinario. Él le dirá qué hacer y cuándo; por ejemplo, en qué momento podrá sacar el perro a áreas públicas, después de completar el programa de inmunización. En la actualidad, muchos veterinarios envían recordatorios a los dueños para las dosis de refuerzo, pero aun así usted debería anotarlo en su propia agenda. Si ha llevado a su perro a la consulta para iniciar el programa de vacunación, no le permita tener contacto cercano con otros animales en la sala de espera.

Algunas personas prefieren no someter a sus animales a las vacunaciones rutinarias y optan por alternativas homeopáticas. Este procedimiento ha de seguirse al pie de la letra, así que tiene que dejarse guiar por la experiencia de un veterinario

El veterinario se ocupará del programa de vacunación del Pinscher Miniatura desde las primeras dosis, cuando todavía es un cachorro, hasta las reactivaciones una vez ya sea adulto.

homeópata. No obstante, tenga presente que probablemente le será difícil encontrar una residencia canina que acepte perros sin el certificado de vacunación habitual.

Cuidados preventivos

Si le ha comprado el cachorro a un criador verdaderamente dedicado, la perra y su camada habrán sido objeto de los cuidados necesarios. Ella habrá sido desparasitada, vacunada, y sometida a reconocimientos médicos sistemáticos. Todo eso repercutirá en su progenie, que recibirá de ella un alto grado de inmunidad.

También es muy importante que, antes de la monta, le hayan hecho pruebas para detectar posibles anormalidades genéticas. Un criador verdaderamente cuidadoso sólo cría con hembras de calidad, sanas y libres de problemas hereditarios; de igual modo selecciona a los sementales.

Chequeos médicos

Cuando lleve al Pinscher Miniatura al veterinario para reactivarle las vacunas, él le hará un chequeo somero de salud. Si no lo hace, como parte de la rutina médica, pídale que le revise el corazón, sobre todo si su mascota pasa de la edad media. Además de para las vacunas, al

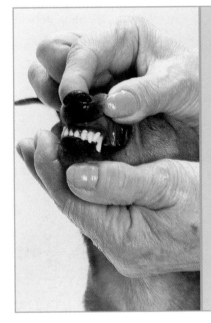

La salud dental es muy importante. El veterinario debe inspeccionar los dientes del Pinscher Miniatura como parte del examen de rutina; también puede hacerle una limpieza dental profesional.

Pinscher Miniatura hay que llevarlo una vez al año a la consulta para que lo sometan a un examen general, que incluye una evaluación dental y cualquier otro análisis de rutina que se considere necesario.

Esterilización

La esterilización del perro, hembra o macho, es un asunto que decide el dueño. Es mejor esterilizar a las hembras después del primer celo. Por lo general, se recomienda hacerlo entre uno y otro celo.

Esterilizar a las perras mascotas las protege de varias enfermedades, como el cáncer de mama, el de útero y el de ovarios. Los dueños deberían prestar atención a esta advertencia en bien de la salud de sus Pinscher Miniatura.

Uno de los primeros síntomas de vejez canina es la aparición de canas en el hocico. Los perros ancianos necesitan hacer las cosas más despacio, pero les sigue gustando que sus dueños los incluyan en sus actividades.

Una buena salud empieza con una buena crianza, un principio elemental de todo criador ético.

Si decide esterilizar a su perro, ya sea hembra o macho, tendrá que controlarle el peso. En muchos casos, los machos agresivos o muy dominantes pueden hacerse más tratables después de la esterilización.

Obviamente, hay algunas razones de salud que requieren de tales operaciones, en especial la piometra, que suele demandar la extirpación del útero y los ovarios. En el caso de los machos que tienen sólo uno o ningún testículo descendido en el escroto, puede que el veterinario le recomiende la castración para prevenir el cáncer. Analice con él los pros y los contras, para que eso le ayude a tomar una decisión.

EL PINSCHER MINIATURA Y EL VETERINARIO

Resumen

■ Seleccione un veterinario calificado, ubicado convenientemente y que tenga experiencia en el tratamiento de perros pequeños. Lleve el Pinscher Miniatura a la consulta durante los primeros días de llevarlo a casa.

■ Analice con el veterinario el programa de vacunación y cumpla con las fechas hasta completarlo.

■ No permita que el Pinscher Miniatura entre en contacto con otros perros antes de completar su programa de inmunización o si no está bien de salud.

■ Practique la medicina preventiva para mantener a su mascota en buenas condiciones de salud y evitar enfermedades.

■ Analice con el veterinario la posibilidad de esterilizar a su perro.